KU-548-845

BRISTOL CITY LIBRARIES
WITHDRAWN AND OFFERED FOR SALE
SOLD AS SEEN

Von Erich Kästner sind im Dressler Verlag
außerdem erschienen:

Als ich ein kleiner Junge war
Emil und die Detektive
Emil und die drei Zwillinge
Erich Kästner erzählt (Sammelband)
Das fliegende Klassenzimmer
Der 35. Mai
Der kleine Mann
Der kleine Mann und die kleine Miss
Die Konferenz der Tiere
Die lustige Geschichtenkiste
Pünktchen und Anton
Das Schwein beim Friseur
Das verhexte Telefon

In der Reihe Dressler Kinder-Klassiker:

Don Quichotte
Der gestiefelte Kater
Gullivers Reisen
Münchhausen
Die Schildbürger
Till Eulenspiegel

DAS DOPPELTE LOTTCHEN

Ein Roman für Kinder
von
ERICH KÄSTNER

Zeichnungen von Walter Trier

Cecilie Dressler Verlag · Hamburg
Atrium Verlag · Zürich

146. Auflage
Cecilie Dressler Verlag Hamburg
Atrium Verlag, Zürich
© Atrium Verlag, Zürich 1949
Titelbild und Zeichnungen von Walter Trier
Satz: Clausen & Bosse, Leck
Druck und Bindung: Graphischer Großbetrieb Pößneck
Printed in Germany 1995

ISBN 3-7915-3011-9

INHALTSVERZEICHNIS

ERSTES KAPITEL

Seebühl am Bühlsee — Kinderheime sind wie Bienen-
stöcke — Ein Autobus mit zwanzig Neuen — Locken und
Zöpfe — Darf ein Kind dem andern die Nase abbeißen?
— Der englische König und sein astrologischer Zwilling
— Über die Schwierigkeit, Lachfältchen zu kriegen

Kennt ihr eigentlich Seebühl? Das Gebirgsdorf Seebühl? Seebühl am Bühlsee? Nein? Nicht? Merkwürdig
– keiner, den man fragt, kennt Seebühl! Womöglich gehört Seebühl am Bühlsee zu den Ortschaften, die ausgerechnet nur jene Leute kennen, die man *nicht* fragt?

Wundern würde mich's nicht. So etwas gibt's.

Nun, wenn ihr Seebühl am Bühlsee nicht kennt, könnt ihr natürlich auch das Kinderheim in Seebühl am Bühlsee nicht kennen, das bekannte Ferienheim für kleine Mädchen. Schade. Aber es macht nichts. Kinderheime ähneln einander wie Vierpfundbrote oder Hundsveilchen; wer eines kennt, kennt sie alle. Und wer an ihnen vorüberspaziert, könnte denken, es seien riesengroße Bienenstöcke. Es summt von Gelächter, Geschrei, Getuschel und Gekicher. Solche Ferienheime sind Bienenstöcke des Kinderglücks und Frohsinns. Und so viele es geben mag, wird es doch nie genug davon geben können.

Freilich abends, da setzt sich zuweilen der graue Zwerg Heimweh an die Betten im Schlafsaal, zieht sein graues Rechenheft und den grauen Bleistift aus der Tasche und zählt ernsten Gesichts die Kindertränen ringsum zusammen, die geweinten und die ungeweinten.

Aber am Morgen ist er, hast du nicht gesehen, verschwunden! Dann klappern die Milchtassen, dann plappern die kleinen Mäuler wieder um die Wette. Dann rennen wieder die Bademätze rudelweise in den kühlen, flaschengrünen See hinein, planschen, kreischen, jauchzen, krähen, schwimmen oder tun doch wenigstens, als schwömmen sie.

So ist's auch in Seebühl am Bühlsee, wo die Geschichte anfängt, die ich euch erzählen will. Eine etwas verzwickte Geschichte. Und ihr werdet manchmal höllisch aufpassen müssen, damit ihr alles haargenau und gründlich versteht. Zu Beginn geht es allerdings noch ganz gemütlich zu. Verwickelt wird's erst in den späteren Kapiteln. Verwickelt und ziemlich spannend.

Vorläufig baden sie alle im See, und am wildesten treibt es, wie immer, ein kleines neunjähriges Mädchen, das den Kopf voller Locken und Einfälle hat und Luise heißt, Luise Palfy. Aus Wien.

Da ertönt vom Hause her ein Gongschlag. Noch einer und ein dritter. Die Kinder und die Helferinnen, die noch baden, klettern ans Ufer.

»Der Gong gilt für alle!« ruft Fräulein Ulrike. »Sogar für Luise!«

»Ich komm ja schon!« schreit Luise. »Ein alter Mann ist doch kein Schnellzug.« Und dann kommt sie tatsächlich.

Fräulein Ulrike treibt ihre schnatternde Herde vollzählig in den Stall, ach nein, ins Haus. Zwölf Uhr, auf den Punkt, wird zu Mittag gegessen. Und dann wird neugierig auf den Nachmittag gelauert. Warum?

Am Nachmittag werden zwanzig »Neue« erwartet. Zwanzig kleine Mädchen aus Süddeutschland. Werden ein paar Zieraffen dabei sein? Ein paar Klatschbasen? Womöglich uralte Damen von dreizehn oder gar vierzehn Jahren? Werden sie interessante Spielsachen mitbringen? Hoffentlich ist ein großer Gummiball drunter! Trudes Ball hat keine Luft mehr. Und Brigitte rückt ihren nicht heraus. Sie hat ihn im Schrank eingeschlossen. Ganz fest. Damit ihm nichts passiert. Das gibt's auch.

Nun, am Nachmittag stehen also Luise, Trude, Brigitte und die anderen Kinder an dem großen, weitgeöffneten eisernen Tor und warten gespannt auf den Autobus, der die Neuen von der nächsten Bahnstation abholen soll. Wenn der Zug pünktlich eingetroffen ist, müßten sie eigentlich...

Da hupt es! »Sie kommen!« Der Omnibus rollt die Straße entlang, biegt vorsichtig in die Einfahrt und hält. Der Chauffeur steigt aus und hebt fleißig ein kleines Mädchen nach dem anderen aus dem Wagen. Doch nicht nur Mädchen, sondern auch Koffer und Taschen und Puppen und Körbe und Tüten und Stoffhunde und Roller und Schirmchen und Thermosflaschen und Regenmäntel und Rucksäcke und gerollte Wolldecken und Bilderbücher und Botanisiertrommeln und Schmetterlingsnetze, eine kunterbunte Fracht.

Zum Schluß taucht, mit seinen Habseligkeiten, im Rahmen der Wagentür das zwanzigste kleine Mädchen auf. Ein ernst dreinschauendes Ding. Der Chauffeur streckt bereitwillig die Arme hoch.

Die Kleine schüttelt den Kopf, daß beide Zöpfe schlenkern. »Danke nein!« sagt sie höflich und bestimmt und klettert, ruhig und sicher, das Trittbrett herab. Unten blickt sie verlegen lächelnd in die Runde. Plötzlich macht sie große, erstaunte Augen. Sie starrt Luise an! Nun reißt auch Luise die Augen auf. Erschrocken blickt sie der Neuen ins Gesicht!

Die anderen Kinder und Fräulein Ulrike schauen

11

perplex von einer zur anderen. Der Chauffeur schiebt die Mütze nach hinten, kratzt sich am Kopf und kriegt den Mund nicht wieder zu. Weswegen denn?

Luise und die Neue sehen einander zum Verwechseln ähnlich! Zwar, eine hat lange Locken und die andere streng geflochtene Zöpfe – aber das ist auch wirklich der einzige Unterschied!

Da dreht sich Luise um und rennt, als werde sie von Löwen und Tigern verfolgt, in den Garten.

»Luise!« ruft Fräulein Ulrike. »Luise!« Dann zuckt sie die Achseln und bringt erst einmal die zwanzig Neulinge ins Haus. Als letzte, zögernd und unendlich verwundert, spaziert das kleine Zopfmädchen.

Frau Muthesius, die Leiterin des Kinderheims, sitzt im Büro und berät mit der alten, resoluten Köchin den Speisezettel für die nächsten Tage.

Da klopft es. Fräulein Ulrike tritt ein und meldet, daß die Neuen gesund, munter und vollzählig eingetroffen seien.

»Freut mich. Danke schön!«

»Dann wäre noch eins...«

»Ja?« Die vielbeschäftigte Heimleiterin blickt kurz hoch.

»Es handelt sich um Luise Palfy«, beginnt Fräulein

Ulrike nicht ohne Zögern. »Sie wartet draußen vor der Tür...«

»Herein mit dem Fratz!« Frau Muthesius muß lächeln. »Was hat sie denn wieder ausgefressen?«

»Diesmal nichts«, sagt die Helferin. »Es ist bloß...«

Sie öffnet behutsam die Tür und ruft: »Kommt herein, ihr beiden! Nur keine Angst!«

Nun treten die zwei kleinen Mädchen ins Zimmer. Weit voneinander entfernt bleiben sie stehen.

»Da brat mir einer einen Storch!« murmelt die Köchin.

Während Frau Muthesius erstaunt auf die Kinder schaut, sagt Fräulein Ulrike: »Die Neue heißt Lotte Körner und kommt aus München.«

»Seid ihr miteinander verwandt?«

Die zwei Mädchen schütteln unmerklich, aber überzeugt die Köpfe.

»Sie haben einander bis zum heutigen Tage noch nie gesehen!« meint Fräulein Ulrike. »Seltsam, nicht?«

»Wieso seltsam?« fragt die Köchin. »Wie können's einander denn g'sehn ham? Wo doch die eine aus München stammt, und die andere aus Wien?«

Frau Muthesius sagt freundlich: »Zwei Mädchen, die einander so ähnlich schauen, werden sicher gute Freundinnen werden. Steht nicht so fremd beieinand', Kin-

der! Kommt, gebt euch die Hand!«

»Nein!« ruft Luise und verschränkt die Arme hinter dem Rücken.

Frau Muthesius zuckt die Achseln, denkt nach und sagt abschließend: »Ihr könnt gehen.«

Luise rennt zur Tür, reißt sie auf und stürmt hinaus. Lotte macht einen Knicks und will langsam das Zimmer verlassen.

»Noch einen Augenblick, Lottchen«, meint die Leiterin. Sie schlägt ein großes Buch auf. »Ich kann gleich deinen Namen eintragen. Und wann und wo du geboren bist. Und wie deine Eltern heißen.«

»Ich hab nur noch eine Mutti«, flüstert Lotte.

Frau Muthesius taucht den Federhalter ins Tintenfaß. »Zuerst also dein Geburtstag!«

14

Lotte geht den Korridor entlang, steigt die Treppen hinauf, öffnet eine Tür und steht im Schrankzimmer. Ihr Koffer ist noch nicht ausgepackt. Sie fängt an, ihre Kleider, Hemden, Schürzen und Strümpfe in den ihr zugewiesenen Schrank zu tun. Durchs offene Fenster dringt fernes Kinderlachen.

Lotte hält die Fotografie einer jungen Frau in der Hand. Sie schaut das Bild zärtlich an und versteckt es dann sorgfältig unter den Schürzen. Als sie den Schrank schließen will, fällt ihr Blick auf einen Spiegel an der Innenwand der Tür. Ernst und forschend mustert sie sich, als sähe sie sich zum erstenmal. Dann wirft sie, mit plötzlichem Entschluß, die Zöpfe weit nach hinten und streicht das Haar so, daß ihr Schopf dem Luise Palfys ähnlich wird.

Irgendwo schlägt eine Tür. Schnell, wie ertappt, läßt Lotte die Hände sinken.

Luise hockt mit ihren Freundinnen auf der Gartenmauer und hat eine strenge Falte über der Nasenwurzel.

»*Ich* ließe mir das nicht gefallen«, sagt Trude, ihre Wiener Klassenkameradin. »Kommt da frech mit deinem Gesicht daher!«

»Was soll ich denn machen?« fragt Luise böse.

15

»Zerkratz es ihr!« schlägt Monika vor.

»Das beste wird sein, du beißt ihr die Nase ab!« rät Christine. »Dann bist du den ganzen Ärger mit einem Schlag los!« Dabei baumelt sie gemütlich mit den Beinen.

»Einem so die Ferien zu verhunzen!« murmelt Luise, aufrichtig verbittert.

»Sie kann doch nichts dafür«, erklärt die pausbäckige Steffie. »Wenn nun jemand käme und sähe wie *ich* aus...«

Trude lacht. »Du glaubst doch selber nicht, daß jemand anderes so blöd war, mit deinem Kopf herumzulaufen.«

Steffie schmollt. Die anderen lachen. Sogar Luise verzieht das Gesicht.

Da ertönt der Gong.

»Die Fütterung der Raubtiere!« ruft Christine. Und die Mädchen springen von der Mauer herunter.

Frau Muthesius sagt im Speisesaal zu Fräulein Ulrike: »Wir wollen unsere kleinen Doppelgängerinnen nebeneinander setzen. Vielleicht hilft eine Radikalkur!«

Die Kinder strömen lärmend in den Saal. Schemel werden gerückt. Die Mädchen, die Dienst haben, schleppen dampfende Terrinen zu den Tischen. Andere füllen die Teller, die ihnen entgegengestreckt werden.

Fräulein Ulrike tritt hinter Luise und Trude, tippt Trude leicht auf die Schulter und sagt: »Du setzt dich neben Hilde Sturm.«

Trude dreht sich um und will etwas antworten. »Aber...«

»Keine Widerrede, ja?«

Trude zuckt die Achseln, steht auf und zieht maulend um.

Die Löffel klappern. Der Platz neben Luise ist leer. Es ist erstaunlich, wie viele Blicke ein leerer Platz auf sich lenken kann.

Dann schwenken, wie auf Kommando, alle Blicke zur Tür. Lotte ist eingetreten.

»Da bist du ja endlich«, sagt Fräulein Ulrike. »Komm, ich will dir deinen Platz zeigen.« Sie bringt das stille, ernste Zopfmädchen zum Tisch. Luise blickt nicht hoch, sondern ißt wütend ihre Suppe in sich hinein. Lotte setzt sich folgsam neben Luise und greift zum Löffel, obwohl ihr der Hals wie zugeschnürt ist.

Die anderen kleinen Mädchen schielen hingerissen zu dem merkwürdigen Paar hinüber. Ein Kalb mit zwei bis drei Köpfen könnte nicht interessanter sein. Der dicken, pausbäckigen Steffie steht vor lauter Spannung der Mund offen.

Luise kann sich nicht länger bezähmen. Und sie will's auch gar nicht. Mit aller Kraft tritt sie unterm Tisch gegen Lottes Schienbein!

Lotte zuckt vor Schmerz zusammen und preßt die Lippen fest aufeinander.

Am Tisch der Erwachsenen sagt die Helferin Gerda kopfschüttelnd: »Es ist nicht zu fassen! Zwei wildfremde Mädchen und eine solche Ähnlichkeit!«

Fräulein Ulrike meint nachdenklich: »Vielleicht sind es astrologische Zwillinge?«

»Was ist denn das nun wieder?« fragt Fräulein Gerda. »Astrologische Zwillinge?«

»Es soll Menschen geben, die einander völlig gleichen, ohne im entferntesten verwandt zu sein. Sie sind aber im selben Bruchteil der gleichen Sekunde zur Welt gekommen!«

Fräulein Gerda murmelt: »Ah!«

Frau Muthesius nickt. »Ich hab einmal von einem Londoner Herrenschneider gelesen, der genau wie Eduard VII., der englische König, aussah. Zum Verwechseln ähnlich. Um so mehr, als der Schneider denselben Spitzbart trug. Der König ließ den Mann in den Buckingham-Palast kommen und unterhielt sich lange mit ihm.«

»Und die beiden waren tatsächlich in der gleichen Sekunde geboren worden?«

»Ja. Es ließ sich zufälligerweise exakt feststellen.«

»Und wie ging die Geschichte weiter?« fragt Gerda gespannt.

»Der Herrenschneider mußte sich auf Wunsch des Königs den Spitzbart abrasieren lassen!«

Während die anderen lachen, schaut Frau Muthesius nachdenklich zu dem Tisch hinüber, an dem die zwei kleinen Mädchen sitzen. Dann sagt sie: »Lotte Körner bekommt das Bett neben Luise Palfy! Sie werden sich aneinander gewöhnen müssen.«

Es ist Nacht. Und alle Kinder schlafen. Bis auf zwei.

Diese zwei haben einander den Rücken zugekehrt, tun, als schliefen sie fest, liegen aber mit offenen Augen da und starren vor sich hin.

Luise blickt böse auf die silbernen Kringel, die der Mond auf ihr Bett malt. Plötzlich spitzt sie die Ohren. Sie hört leises, krampfhaft unterdrücktes Weinen.

Lotte preßt die Hände auf den Mund. Was hatte ihr die Mutter beim Abschied gesagt: »Ich freu mich so, daß du ein paar Wochen mit vielen fröhlichen Kindern zusammensein wirst! Du bist zu ernst für dein Alter, Lottchen! Viel zu ernst! Ich weiß, es liegt nicht an dir. Es liegt an mir. An meinem Beruf. Ich bin zu wenig zu Hause. Wenn ich heimkomme, bin ich müde. Und du hast inzwischen nicht gespielt wie andere Kinder, sondern aufgewaschen, gekocht, den Tisch gedeckt. Komm bitte mit tausend Lachfalten zurück, mein Hausmütterchen!« Und nun liegt sie hier in der Fremde, neben einem bösen Mädchen, das sie haßt, weil sie ihm ähnlich sieht. Sie seufzt leise. Da soll man nun Lachfältchen kriegen. Lotte schluchzt vor sich hin.

Plötzlich streicht eine kleine fremde Hand unbeholfen über ihr Haar! Lottchen wird stocksteif vor Schreck. Vor Schreck? Luises Hand streichelt schüchtern weiter.

Der Mond schaut durchs große Schlafsaalfenster und staunt nicht schlecht. Da liegen zwei kleine Mädchen nebeneinander, die sich nicht anzusehen wagen, und die eine, die eben noch weinte, tastet jetzt mit ihrer Hand ganz langsam nach der streichelnden Hand der anderen.

»Na gut«, denkt der alte silberne Mond. »Da kann ich ja beruhigt untergehen!« Und das tut er denn auch.

ZWEITES KAPITEL

*Vom Unterschied zwischen Waffenstillstand und Frie-
den — Der Waschsaal als Frisiersalon — Das doppelte
Lottchen — Trude kriegt eine Ohrfeige — Der Fotograf
Eipeldauer und die Förstersfrau — Meine Mutti, unsere
Mutti — Sogar Fräulein Ulrike hat etwas geahnt*

Besaß der Waffenstillstand zwischen den zweien Wert
und Dauer? Obwohl er ohne Verhandlungen und
Worte geschlossen worden war? Ich möcht's schon
glauben. Aber vom Waffenstillstand zum Frieden ist
ein weiter Weg. Auch bei Kindern. Oder?

Sie wagten einander nicht anzusehen, als sie am
nächsten Morgen aufwachten, als sie dann in ihren wei-
ßen langen Nachthemden in den Waschsaal liefen, als
sie sich, Schrank an Schrank, anzogen, als sie Stuhl an
Stuhl beim Milchfrühstück saßen, und auch nicht, als
sie nebeneinander, Lieder singend, am See entlanglie-
fen und später mit den Helferinnen Reigen tanzten und
Blumenkränze flochten. Ein einziges Mal kreuzten sich
ihre raschen, huschenden Blicke, doch dann waren sie
auch schon wieder erschrocken voneinander weggeglit-
ten.

Jetzt sitzt Fräulein Ulrike in der Wiese und liest einen wunderbaren Roman, in dem auf jeder Seite von Liebe die Rede ist. Manchmal läßt sie das Buch sinken und denkt versonnen an Herrn Rademacher, den Diplomingenieur, der bei ihrer Tante zur Untermiete wohnt: Rudolf heißt er. Ach Rudolf!

Luise spielt indessen mit ihren Freundinnen Völkerball. Aber sie ist nicht recht bei der Sache. Oft schaut sie sich um, als suche sie jemanden und könne ihn nicht finden.

Trude fragt: »Wann beißt du denn nun endlich der Neuen die Nase ab, hm?«

»Sei nicht so blöd!« sagt Luise.

Christine blickt sie überrascht an. »Nanu! Ich denk, du hast eine Wut auf sie?«

»Ich kann doch nicht jedem, auf den ich eine Wut habe, die Nase abbeißen«, erklärt Luise kühl. Und sie setzt hinzu: »Außerdem *hab* ich gar keine Wut auf sie.«

»Aber gestern hattest du doch welche!« beharrt Steffie.

»Und was für 'ne Wut!« ergänzt Monika. »Beim Abendbrot hast du sie unterm Tisch so gegens Schienbein getreten, daß sie beinahe gebrüllt hätte!«

»Na also«, stellt Trude mit sichtlicher Genugtuung fest.

Luises Gefieder sträubt sich. »Wenn ihr nicht gleich aufhört«, ruft sie zornig, »kriegt *ihr* eins vors Schienbein!« Damit wendet sie sich um und rauscht davon.

»Die weiß nicht, was sie will«, meint Christine und zuckt die Achseln.

Lotte sitzt, ein Blumenkränzchen auf den Zöpfen, allein in der Wiese und ist damit beschäftigt, einen

24

zweiten Kranz zu winden. Da fällt ein Schatten über ihre Schürze. Sie blickt auf.

Luise steht vor ihr und tritt, verlegen und unschlüssig, von einem Bein aufs andere.

Lotte wagt ein schmales Lächeln. Kaum, daß man's sehen kann. Eigentlich nur mit der Lupe.

Luise lächelt erleichtert zurück.

Lotte hält den Kranz, den sie eben gewunden hat, hoch und fragt schüchtern: »Willst du ihn?«

Luise läßt sich auf die Knie nieder und sagt leidenschaftlich: »Ja, aber nur, wenn du ihn mir aufsetzt!«

Lotte drückt ihr den Kranz in die Locken. Dann nickt sie und fügt hinzu: »Schön!«

Nun sitzen also die beiden ähnlichen Mädchen nebeneinander auf der Wiese, sind mutterseelenallein, schweigen und lächeln sich vorsichtig an.

Dann atmet Luise schwer und fragt: »Bist du mir noch böse?«

Lotte schüttelt den Kopf.

Luise blickt zu Boden und stößt hervor: »Es kam so plötzlich! Der Autobus! Und dann du! So ein Schreck!«

Lotte nickt. »So ein Schreck«, wiederholt sie.

Luise beugt sich vor. »Eigentlich ist es furchtbar lustig, nein?«

Lotte blickt ihr erstaunt in die übermütig blitzenden Augen. »Lustig?« Dann fragt sie leise: »Hast du Geschwister?«

»Nein!«

»Ich auch nicht«, sagt Lotte.

Beide haben sich in den Waschsaal geschlichen und stehen vor einem großen Spiegel. Lotte ist voll Feuereifer dabei, Luises Locken mit Kamm und Bürste zu striegeln.

Luise schreit »Au!« und »Oh!«

»Willst du wohl ruhig sein?« schimpft Lotte, gespielt

streng. »Wenn dir deine Mutti Zöpfe flicht, wird nicht geschrien!«

»Ich hab doch gar keine Mutti!« murrt Luise. »Deswegen, au! deswegen bin ich ja auch so ein lautes Kind, sagt mein Vater!«

»Zieht er dir denn nie die Hosen straff?« erkundigt sich Lotte angelegentlich, während sie mit dem Zopfflechten beginnt.

»Ach wo! Dazu hat er mich viel zu lieb!«

»Das hat doch damit nichts zu tun!« bemerkt Lotte sehr weise.

»Und außerdem hat er den Kopf voll.«

»Es genügt doch, daß er eine Hand frei hat!« Sie lachen.

Dann sind Luises Zöpfe fertig, und nun schauen die Kinder mit brennenden Augen in den Spiegel. Die Gesichter strahlen wie Christbäume. Zwei völlig gleiche Mädchen blicken in den Spiegel hinein! Zwei völlig gleiche Mädchen blicken aus dem Spiegel heraus!

»Wie zwei Schwestern!« flüstert Lotte begeistert.

Der Mittagsgong ertönt.

»Das wird ein Spaß!« ruft Luise. »Komm!« Sie rennen aus dem Waschsaal. Und halten sich an den Händen.

Die anderen Kinder sitzen längst. Nur Luises und Lottes Schemel sind noch leer.

Da öffnet sich die Tür, und Lotte erscheint. Sie setzt sich, ohne zu zaudern, auf Luises Schemel.

»Du!« warnt Monika. »Das ist Luises Platz! Denk an dein Schienbein!«

Das Mädchen zuckt nur die Achseln und beginnt zu essen. Die Tür öffnet sich wieder, und – ja, zum Donnerwetter! – Lotte kommt leibhaftig noch einmal herein! Sie geht, ohne eine Miene zu verziehen, auf den letzten leeren Platz zu und setzt sich.

Die anderen Mädchen am Tisch sperren Mund und Nase auf. Jetzt schauen auch die Kinder von den Nebentischen herüber. Sie stehen auf und umdrängen die beiden Lotten.

Die Spannung löst sich erst, als die zwei zu lachen anfangen. Es dauert keine Minute, da hallt der Saal von vielstimmigem Kindergelächter wider.

Frau Muthesius runzelt die Stirn. »Was ist denn das für ein Radau?« Sie steht auf und schreitet, mit königlich strafenden Blicken, in den tollen Jubel hinein. Als sie aber die zwei Zopfmädchen entdeckt, schmilzt ihr Zorn wie Schnee in der Sonne dahin. Belustigt fragt sie: »Also, welche von euch ist nun Luise Palfy und welche Lotte Körner?«

»Das verraten wir nicht!« sagt die eine Lotte zwinkernd, und wieder erklingt helles Gelächter.

»Ja um alles in der Welt!« ruft Frau Muthesius in komischer Verzweiflung. »Was sollen wir denn nun machen?«

»Vielleicht«, schlägt die zweite Lotte vergnügt vor, »vielleicht kriegt es doch jemand heraus?«

Steffie fuchtelt mit der Hand durch die Luft. Wie ein Mädchen, das dringend ein Gedicht aufsagen möchte. »Ich weiß etwas!« ruft sie. »Trude geht doch mit Luise in dieselbe Klasse! Trude muß raten!«

Trude schiebt sich zögernd in den Vordergrund des Geschehens, blickt musternd von der einen Lotte zur anderen und schüttelt ratlos den Kopf. Dann aber huscht ein spitzbübisches Lächeln über ihr Gesicht. Sie zieht die ihr näher stehende Lotte tüchtig am Zopf – und im nächsten Augenblick klatscht eine Ohrfeige!

Sich die Backe haltend, ruft Trude begeistert: »Das

war Luise!« (Womit die allgemeine vorläufige Heiterkeit ihren Höhepunkt erreicht hat.)

Luise und Lotte haben die Erlaubnis erhalten, in den Ort zu gehen. Die »doppelte Lotte« soll unbedingt im Bild festgehalten werden. Um Fotos nach Hause zu schicken! Da wird man sich wundern!

Der Fotograf, ein gewisser Herr Eipeldauer, hat, nach der ersten Verblüffung, ganze Arbeit geleistet. Sechs verschiedene Aufnahmen hat er gemacht. In zehn Tagen sollen die Postkarten fertig sein.

Zu seiner Frau meint er, als die Mädchen fort sind:

»Weißt was, am Ende schick ich ein paar Glanzabzüge an eine Illustrierte oder ein Magazin! Zeitschriften interessieren sich manchmal für so was!«

Draußen vor seinem Geschäft dröselt Luise ihre »dummen« Zöpfe wieder auf, denn die brave Haartracht beeinträchtigt ihr Wohlbefinden. Und als sie ihre Locken wieder schütteln kann, kehrt auch ihr Temperament zurück. Sie lädt Lotte zu einem Glas Limonade ein. Lotte sträubt sich. Luise sagt energisch: »Du hast zu folgen! Mein Vater hat vorgestern frisches Taschengeld geschickt. Auf geht's!«

Sie spazieren also zur Försterei hinaus, setzen sich in den Garten, trinken Limonade und plaudern. Es gibt ja soviel zu erzählen, zu fragen und zu beantworten, wenn zwei kleine Mädchen erst einmal Freundinnen geworden sind!

Die Hühner laufen pickend und gackernd zwischen den Gasthaustischen hin und her. Ein alter Jagdhund beschnuppert die beiden Gäste und ist mit ihrer Anwesenheit einverstanden.

»Ist dein Vater schon lange tot?« fragt Luise.

»Ich weiß es nicht«, sagt Lotte. »Mutti spricht niemals von ihm – und fragen möcht ich nicht gern.«

Luise nickt. »Ich kann mich an meine Mutti gar nicht mehr erinnern. Früher stand auf Vaters Flügel ein großes Bild von ihr. Einmal kam er dazu, wie ich es mir ansah. Und am nächsten Tag war es fort. Er hat es wahrscheinlich im Schreibtisch eingeschlossen.«

Die Hühner gackern. Der Jagdhund döst. Ein kleines Mädchen, das keinen Vater, und ein kleines Mädchen, das keine Mutter mehr hat, trinken Limonade.

»Du bist doch auch neun Jahre alt?« fragt Luise.

»Ja.« Lotte nickt. »Am 14. Oktober werde ich zehn.«

Luise setzt sich kerzengerade. »Am 14. Oktober?«

»Am 14. Oktober.«

Luise beugt sich vor und flüstert: »Ich *auch!*«

Lotte wird steif wie eine Puppe.

Hinterm Haus kräht ein Hahn. Der Jagdhund schnappt nach einer Biene, die in seiner Nähe summt. Aus dem offenen Küchenfenster hört man die Förstersfrau singen.

Die beiden Kinder schauen sich wie hypnotisiert in die Augen. Lotte schluckt schwer und fragt heiser vor Aufregung: »Und – *wo* bist du geboren?«

Luise erwidert leise und zögernd, als fürchte sie sich: »In Linz an der Donau!«

Lotte fährt sich mit der Zunge über die trockenen Lippen. »Ich *auch!*«

Es ist ganz still im Garten. Nur die Baumwipfel bewegen sich. Vielleicht hat das Schicksal, das eben über den Garten hinwegschwebte, sie mit seinen Flügeln gestreift?

Lotte sagt langsam: »Ich hab ein Foto von... von meiner Mutti im Schrank.«

Luise springt auf. »Zeig mir's!« Sie zerrt die andere vom Stuhl herunter und aus dem Garten.

»Nanu!« ruft da jemand empört, »was sind denn das für neue Moden?« Es ist die Förstersfrau. »Limonade trinken und nicht zahlen?«

Luise erschrickt. Sie kramt mit zitternden Fingern in ihrem kleinen Portemonnaie, drückt der Frau einen mehrfach geknifften Schein in die Hand und läuft zu Lotte zurück.

»Ihr kriegt etwas heraus!« schreit die Frau. Aber die Kinder hören sie nicht. Sie rennen, als gälte es das Leben.

»Was mögen die kleinen Gänse bloß auf dem Kerbholz haben?« brummt die Frau. Dann geht sie ins Haus. Der alte Jagdhund trottet hinterdrein.

Lotte kramt, im Kinderheim, hastig in ihrem Schrank. Unter dem Wäschestapel holt sie eine Fotografie hervor und hält sie der am ganzen Körper fliegenden Luise hin.

Luise schaut scheu und ängstlich auf das Bild. Dann

verklärt sich ihr Blick. Ihre Augen saugen sich förmlich an dem Frauenantlitz fest.

Lottes Gesicht ist erwartungsvoll auf die andere gerichtet. Luise läßt, vor lauter Glück erschöpft, das Bild sinken und nickt selig. Dann preßt sie es wild an sich und flüstert: »Meine Mutti!«

Lotte legt den Arm um Luises Hals. »*Unsere* Mutti!« Zwei kleine Mädchen drängen sich eng aneinander. Hinter dem Geheimnis, das sich ihnen eben entschleiert hat, warten neue Rätsel, andere Geheimnisse.

Der Gong dröhnt durchs Haus. Kinder rennen lachend und lärmend treppab. Luise will das Bild in den Schrank zurücklegen. Lotte sagt: »Ich schenke dir's!«

Fräulein Ulrike steht im Büro vor dem Schreibtisch der Lehrerin und hat vor Aufregung krebsrote, kreisrunde Flecken auf beiden Backen.

»Ich *kann* es nicht für mich behalten!« stößt sie hervor. »Ich *muß* mich Ihnen anvertrauen! Wenn ich nur wüßte, was wir tun sollen!«

»Na, na«, sagt Frau Muthesius, »was drückt Ihnen denn das Herz ab, meine Liebe?«

»Es *sind* gar keine astrologischen Zwillinge!«

»Wer denn?« fragt Frau Muthesius lächelnd. »Der englische König und der Schneider?«

»Nein! Luise Palfy und Lotte Körner! Ich habe im Aufnahmebuch nachgeschlagen! Sie sind beide am selben Tag in Linz geboren! Das *kann* kein Zufall sein!«

»Wahrscheinlich ist es kein Zufall, meine Liebe. Ich habe mir auch schon bestimmte Gedanken gemacht.«

»Sie wissen es also?« fragt Fräulein Ulrike und schnappt nach Luft.

»Natürlich! Als ich die kleine Lotte, nachdem sie angekommen war, nach ihren Daten gefragt und diese eingetragen hatte, verglich ich sie mit Luises Geburtstag und Geburtsort. Das lag doch einigermaßen nahe. Nicht wahr?«

»Ja, ja. Und was geschieht nun?«

»Nichts.«

»Nichts?«

»Nichts! Falls Sie den Mund nicht halten sollten, schneide ich Ihnen die Ohren ab, meine Liebe.«

»Aber...«

»Kein Aber! Die Kinder ahnen nichts. Sie haben sich vorhin fotografieren lassen und werden die Bildchen heimschicken. Wenn sich die Fäden hierdurch entwirren, gut! Doch Sie und ich, wir wollen uns hüten, Schicksal zu spielen. Ich danke Ihnen für Ihre Einsicht, meine Liebe. Und jetzt schicken Sie mir, bitte, die Köchin.«

Fräulein Ulrike macht kein sonderlich geistreiches

Gesicht, als sie das Büro verläßt. Übrigens wäre das bei ihr auch etwas völlig Neues.

DRITTES KAPITEL

Neue Kontinente werden entdeckt — Rätsel über Rätsel — Der entzweigeteilte Vorname — Eine ernste Fotografie und ein lustiger Brief — Steffies Eltern lassen sich scheiden — Darf man Kinder halbieren?

Die Zeit vergeht. Sie weiß es nicht besser.

Haben die zwei kleinen Mädchen ihre Fotos beim Herrn Eipeldauer im Dorf abgeholt? Längst! Hat sich Fräulein Ulrike neugierig erkundigt, ob sie die Fotos nach Haus geschickt hätten? Längst! Haben Luise und Lotte mit den Köpfchen genickt und ja gesagt? Längst!

Und ebensolange liegen dieselben Fotos, in lauter kleine Fetzen zerpflückt, auf dem Grunde des flaschengrünen Bühlsees bei Seebühl. Die Kinder haben Fräulein Ulrike angelogen! Sie wollen ihr Geheimnis für sich behalten! Wollen es zu zweit verbergen und, vielleicht, zu zweit enthüllen! Und wer ihren Heimlichkeiten zu nahe kommt, wird rücksichtslos beschwindelt. Es geht nicht anders. Nicht einmal Lottchen hat Gewissensbisse. Das will viel heißen.

Die beiden hängen neuerdings wie die Kletten zusammen. Trude, Steffie, Monika, Christine und die an-

38

deren sind manchmal böse auf Luise, eifersüchtig auf Lotte. Was hilft's? Gar nichts hilft es! Wo mögen sie jetzt wieder stecken?

Sie stecken im Schrankzimmer. Lotte holt zwei gleiche Schürzen aus ihrem Schrank, gibt der Schwester eine davon und sagt, während sie sich die andere umbindet: »Die Schürzen hat Mutti beim Oberpollinger gekauft.«

»Aha«, meint Luise, »das ist das Kaufhaus auf der Neuhauser Straße, beim... wie heißt das Tor?«

»Karlstor.«

»Richtig, beim Karlstor!«

Sie wissen wechselweise schon recht gut Bescheid über die Lebensgewohnheiten, über die Schulkameradinnen, die Nachbarn, die Lehrerinnen und Wohnungen der anderen! Für Luise ist ja alles, was mit der Mutter zusammenhängt, so ungeheuer wichtig! Und Lotte verzehrt sich, alles, aber auch alles über den Vater zu erfahren, was die Schwester weiß! Tag für Tag sprechen sie von nichts anderem. Und noch abends flüstern sie stundenlang in ihren Betten. Jede entdeckt einen anderen, einen neuen Kontinent. Das, was bis jetzt von ihrem Kinderhimmel umspannt wurde, war ja, wie sich plötzlich herausgestellt hat, nur die eine Hälfte ihrer Welt!

Und wenn sie wirklich einmal nicht damit beschäftigt sind, voller Eifer diese beiden Hälften aneinanderzufügen, um das Ganze zu überschauen, erregt sie ein anderes Thema, plagt sie ein anderes Geheimnis: Warum sind die Eltern nicht mehr zusammen?

»Erst haben sie natürlich geheiratet«, erklärt Luise zum hundertsten Male. »Dann haben sie zwei kleine Mädchen gekriegt. Und weil Mutti Luiselotte heißt, haben sie das eine Kind Luise und das andere Lotte getauft. Das ist doch sehr hübsch! Da müssen sie sich doch noch gemocht haben, nicht?«

»Bestimmt!« sagt Lotte. »Aber dann haben sie sich sicher gezankt. Und sind voneinander fort. Und haben uns selber genauso entzweigeteilt wie vorher Muttis Vornamen!«

»Eigentlich hätten s' uns erst fragen müssen, ob sie uns halbieren dürfen!«

»Damals konnten wir ja noch gar nicht reden!«

Die beiden Schwestern lächeln hilflos. Dann haken sie sich unter und gehen in den Garten.

Es ist Post gekommen. Überall, im Gras und auf der Mauer und auf den Gartenbänken, hocken kleine Mädchen und studieren Briefe.

Lotte hält die Fotografie eines Mannes von etwa

fünfunddreißig Jahren in den Händen und blickt mit
zärtlichen Augen auf ihren Vater. So sieht er also aus!
Und so wird es einem ums Herz, wenn man einen wirklichen, lebendigen Vater hat!

Luise liest vor, was er ihr schreibt: »Mein liebes, einziges Kind!« – »So ein Schwindler!« sagt sie hochblik-
kend. »Wo er doch genau weiß, daß er Zwillinge hat!«
Dann liest sie weiter: »Hast Du denn ganz vergessen,
wie Dein Haushaltungsvorstand aussieht, daß Du unbedingt, noch dazu zum Ferienschluß, eine Fotografie
von ihm haben willst? Erst wollte ich Dir ja ein Kinder-
bild von mir schicken. Eines, wo ich als nackiges Baby
auf einem Eisbärenfell liege! Aber Du schreibst, daß es

unbedingt ein funkelnagelneues Bild sein muß! Na, da
bin ich gleich zum Fotografen gerannt, obwohl ich eigentlich gar keine Zeit hatte, und hab ihm genau erklärt, weswegen ich das Bild so eilig brauche. Sonst,
habe ich ihm gesagt, erkennt mich meine Luise nicht
wieder, wenn ich sie von der Bahn abhole! Das hat er
zum Glück eingesehen. Und so kriegst Du das Bild
noch rechtzeitig. Hoffentlich tanzt Du den Fräuleins im
Heim nicht so auf der Nase herum wie Deinem Vater,
der Dich tausendmal grüßt und große Sehnsucht nach
Dir hat!«

»Schön!« sagt Lotte. »Und lustig! Dabei sieht er auf
dem Bild so ernst aus!«

»Wahrscheinlich hat er sich vor dem Fotografen geniert zu lachen«, vermutet Luise. »Vor anderen Leuten macht er immer ein strenges Gesicht. Aber wenn wir allein sind, kann er sehr komisch sein.«

Lotte hält das Bild ganz fest. »Und ich darf es wirklich behalten?« »Natürlich«, sagt Luise, »deswegen hab ich's mir doch schicken lassen!«

Die pausbäckige Steffie sitzt auf einer Bank, hält einen Brief in der Hand und weint. Sie gibt dabei keinen Laut von sich. Die Tränen rollen unaufhörlich über das runde, unbewegliche Kindergesicht. Trude schlendert vorbei, bleibt neugierig stehen, setzt sich daneben und schaut Steffie abwartend an. Christine kommt hinzu und setzt sich auf die andere Seite. Luise und Lotte nähern sich und bleiben stehen. »Fehlt dir was?« fragt Luise.

Steffie weint lautlos weiter. Plötzlich senkt sie die Augen und sagt monoton: »Meine Eltern lassen sich scheiden!«

»So eine Gemeinheit!« ruft Trude. »Da schicken sie dich erst in die Ferien, und dann tun sie so was! Hinter deinem Rücken!«

»Der Papa liebt, glaub ich, eine andere Frau«, schluchzt Steffie.

Luise und Lotte gehen rasch weiter. Was sie eben gehört haben, bewegt ihre Gemüter aufs heftigste.

»*Unser* Vater«, fragt Lotte, »hat doch aber keine neue Frau?«

»Nein«, erwidert Luise. »Das wüßte ich.«

»Vielleicht eine, mit der er nicht verheiratet ist?« fragt Lotte zögernd.

Luise schüttelt den Lockenkopf. »Bekannte hat er natürlich. Auch Frauen. Aber *du* sagt er zu keiner! Aber wie ist das mit Mutti? Hat Mutti einen – einen guten Freund?«

»Nein«, meint Lotte zuversichtlich. »Mutti hat mich und ihre Arbeit, und sonst will sie nichts vom Leben, sagt sie.«

Luise blickt die Schwester ziemlich ratlos an. »Ja, aber warum sind sie denn dann geschieden?«

Lotte denkt nach. »Vielleicht waren sie gar nicht auf dem Gericht? So wie Steffies Eltern das wollen?«

»Warum ist Vater in Wien und Mutti in München?« fragt Luise. »Warum haben sie uns halbiert?«

»Warum«, fährt Lotte grübelnd fort, »haben sie uns nie erzählt, daß wir gar nicht einzeln, sondern eigentlich Zwillinge sind? Und warum hat Vater dir nichts davon erzählt, daß Mutti lebt?«

»Und Mutti hat dir verschwiegen, daß Vati lebt!«

44

Luise stemmt die Arme in die Seiten. »Schöne Eltern haben wir, was? Na warte, wenn wir den beiden einmal die Meinung geigen! Die werden staunen!«

»Das dürfen wir doch gar nicht«, meint Lotte schüchtern. »Wir sind ja nur Kinder!«

»*Nur?*« fragte Luise und wirft den Kopf zurück.

Viertes Kapitel

Gefüllte Eierkuchen, wie entsetzlich! — Die geheimnis-
vollen Oktavhefte — Schulwege und Gutenachtküsse —
Es ist eine Verschwörung im Gange — Das Gartenfest
als Generalprobe — Abschied von Seebühl am Bühlsee

Die Ferien gehen dem Ende zu. In den Schränken
sind die Stapel frischer Wäsche zusammengeschmol-
zen. Die Betrübnis, das Kinderheim bald verlassen zu
müssen, und die Freude aufs Zuhause wachsen gleich-
mäßig.

Frau Muthesius plant ein kleines Abschiedsfest. Der
Vater eines der Mädchen, dem ein Kaufhaus gehört,
hat eine große Kiste Lampions, Girlanden und viele andere Dinge geschickt. Nun sind die Helferinnen und die
Kinder eifrig dabei, die Veranda und den Garten gehö-
rig herauszuputzen. Sie schleppen Küchenleitern von
Baum zu Baum, hängen bunte Laternen ins Laub,
schlingen Girlanden von Zweig zu Zweig und bereiten
auf einem langen Tisch eine Tombola vor. Andere
schreiben auf kleine Zettel Losnummern. Der erste
Hauptgewinn: ein Paar Rollschuhe mit Kugellager!

»Wo sind eigentlich die Locken und die Zöpfe?«

46

fragt Fräulein Ulrike. (So nennt man Luise und Lotte neuerdings!)

»Och *die*!« meint Monika abfällig. »Die werden wieder irgendwo im Gras sitzen und sich an den Händen halten, damit der Wind sie nicht auseinanderweht!«

Die Zwillinge sitzen nicht irgendwo im Gras, sondern im Garten der Försterei. Sie halten sich auch nicht an den Händen – dazu haben sie nicht die mindeste Zeit –, sondern sie haben Oktavheftchen vor sich liegen, halten Bleistifte in der Hand, und im Augenblick diktiert Lotte gerade der emsig kritzelnden Luise: »Am liebsten mag Mutti Nudelsuppe mit Rindfleisch. Das Rindfleisch holst du beim Metzger Huber. Ein halbes Pfund Querrippe, schön durchwachsen.«

Luise hebt den Kopf. »Metzger Huber, Max-Emanuel-Straße, Ecke Prinz-Eugen-Straße«, schnurrt sie herunter.

Lotte nickt befriedigt. »Das Kochbuch steht im Küchenschrank, im untersten Fach ganz links. Und in dem Buch liegen alle Rezepte, die ich kann.«

Luise notiert: »Kochbuch… Küchenschrank… unteres Fach… ganz links…« Dann stützt sie die Arme auf und meint: »Vor dem Kochen hab ich eine Heidenangst! Aber wenn's in den ersten Tagen schiefgeht,

kann ich vielleicht sagen, ich hätt's in den Ferien verlernt, wie?«

Lotte nickt zögernd. »Außerdem kannst du mir ja gleich schreiben, wenn etwas nicht klappt. Ich gehe jeden Tag aufs Postamt und frage, ob etwas angekommen ist!«

»Ich auch«, meint Luise. »Schreib nur recht oft! Und iß tüchtig im ›Imperial‹! Vati freut sich immer so, wenn mir's schmeckt!«

»Zu dumm, daß ausgerechnet gefüllter Eierkuchen dein Lieblingsgericht ist!« murrt Lottchen. »Na, da kann eben nichts helfen! Aber Kalbsschnitzel und Gulasch wären mir lieber!«

»Wenn du gleich den ersten Tag drei Eierkuchen ißt, oder vier oder fünf, kannst du hinterher sagen, du hast dich fürs ganze weitere Leben daran überfressen«, schlägt Luise vor.

»Das geht!« antwortet die Schwester, obwohl sich ihr bereits bei dem bloßen Gedanken an fünf Eierkuchen der Magen umdreht. Sie macht sich nun einmal nichts daraus!

Dann beugen sich beide wieder über ihre Heftchen und hören einander wechselseitig die Namen der Mitschülerinnen, die Sitzordnung in der Klasse, die Gewohnheiten der Lehrerin und den genauen Schulweg ab.

»Mit dem Schulweg hast du's leichter als ich«, meint Luise. »Du sagst Trude ganz einfach, sie soll dich am ersten Tag abholen! Das macht sie manchmal. Na, und da läufst du dann ganz gemütlich neben ihr her und merkst dir die Straßenecken und den übrigen Palawatsch!«

Lotte nickt. Plötzlich erschrickt sie. »Das hab ich dir noch gar nicht gesagt – vergiß ja nicht, Mutti, wenn sie dich zu Bett bringt, einen Gutenachtkuß zu geben!«

Luise blickt vor sich hin. »Das brauch ich mir nicht aufzuschreiben. *Das* vergesse ich bestimmt nicht!«

Merkt ihr, was sich anspinnt? Die Zwillinge wollen den Eltern noch immer nicht erzählen, daß sie Bescheid wissen. Sie wollen Vater und Mutter nicht vor Entscheidungen stellen. Sie ahnen, daß sie kein Recht dazu haben. Und sie fürchten, die Entschlüsse der Eltern könnten das junge Geschwisterglück sofort und endgültig wieder zerstören. Aber das andere brächten sie erst recht nicht übers Herz: als wäre nichts geschehen, zurückzufahren, woher sie gekommen sind! Weiterzuleben in der ihnen von den Eltern ungefragt zugewiesenen Hälfte! Nein! Kurz und gut, es ist eine Verschwörung im Gange! Der von Sehnsucht und Abenteuerlust geweckte, fantastische Plan sieht so aus: Die beiden wollen die Kleider, Frisuren, Koffer, Schürzen und Existenzen tauschen! Luise will, mit braven Zöpfen (und auch sonst ums Bravsein bemüht), als sei sie Lotte, zur Mutter, von der sie nichts als eine Fotografie kennt, »heimkehren«! Und Lotte wird, mit offenem Haar und so lustig und lebhaft, wie sie's nur vermag, zum Vater nach Wien fahren!

Die Vorbereitungen auf die zukünftigen Abenteuer waren gründlich. Die Oktavhefte sind randvoll von Notizen. Man wird einander postlagernd schreiben, wenn Not am Mann ist oder wenn wichtige unvorhergesehene Ereignisse eintreten sollten.

Vielleicht wird es ihrer gemeinsamen Aufmerksamkeit am Ende sogar gelingen zu enträtseln, warum die Eltern getrennt leben? Und vielleicht werden sie dann eines schönen, eines wunderschönen Tages miteinander und mit beiden Eltern – doch soweit wagen sie kaum zu denken, geschweige denn, darüber zu sprechen.

Das Gartenfest am Vorabend der Abreise ist als Generalprobe vorgesehen. Lotte kommt als lockige, quirlige Luise. Luise erscheint als brave, bezopfte Lotte. Und beide spielen ihre Rollen ausgezeichnet. Niemand merkt etwas! Nicht einmal Trude, Luises Schulkameradin aus Wien! Es macht beiden einen Mordsspaß, einander laut beim eigenen verschenkten Vornamen zu rufen. Lotte schlägt vor Übermut Purzelbäume. Und Luise tut so sanft und still, als könne sie kein Härchen trüben und kein Wässerchen krümmen.

Die Lampions schimmern in den Sommerbäumen. Die Girlanden schaukeln im Abendwind. Das Fest und die Ferien gehen zu Ende. An der Tombola werden die Gewinne verteilt. Steffie, das arme Hascherl, gewinnt den ersten Preis, die Rollschuhe mit Kugellager. (Besser ein schwacher Trost als gar keiner!)

Die Schwestern schlafen schließlich, ihren Rollen getreu, in den vertauschten Betten und träumen vor Aufregung wilde Dinge. Lotte beispielsweise wird in Wien am Bahnsteig von einer überlebensgroßen Fotografie ihres Vaters abgeholt, und daneben steht ein weißbemützter Hotelkoch mit einem Schubkarren voll gefüllter dampfender Eierkuchen – brrr!

Am nächsten Morgen, in aller Herrgottsfrühe, fahren in der Bahnstation Egern, bei Seebühl am Bühlsee, zwei aus entgegengesetzten Richtungen kommende Züge ein. Dutzende kleiner Mädchen klettern schnatternd in die Abteile. Lotte beugt sich weit aus dem Fenster. Aus einem Fenster des anderen Zuges winkt

Luise. Sie lächeln einander Mut zu. Die Herzen klopfen. Das Lampenfieber wächst. Wenn jetzt nicht die
Lokomotiven zischten und spuckten – die kleinen Mädchen würden vielleicht im letzten Moment doch noch –

Aber nein, der Fahrplan hat das Wort. Der Stations-
vorsteher hebt sein Szepter. Die Züge setzen sich
gleichzeitig in Bewegung. Kinderhände winken.

Lotte fährt als Luise nach Wien.

Und Luise als Lotte nach München.

FÜNFTES KAPITEL

Ein Kind auf einem Koffer — Die einsamen Onkels im »Imperial« — Von Peperl und dem untrüglichen Instinkt der Tiere — »Luise« fragt, ob sie in der Oper winken darf — Rechenfehler im Haushaltsbuch — Shirley Temple durfte sich ihre eigenen Filme nicht ansehen — Herrn Kapellmeister Palfys kompliziertes Innenleben

München. Hauptbahnhof, Bahnsteig 16. Die Lokomotive steht still und ringt nach Luft. In dem Strom der Reisenden haben sich Inseln des Wiedersehens gebildet. Kleine Mädchen umhalsen ihre strahlenden Eltern. Man vergißt vor lauter selig gerührtem Schwadronieren, daß man ja erst auf dem Bahnhof und noch gar nicht daheim ist!

Allmählich wird der Bahnsteig aber doch leer.

Und zum Schluß steht nur noch ein einziges Kind da, ein Kind mit Zöpfen und Zopfschleifen. Bis gestern trug es Locken. Bis gestern hieß es Luise Palfy.

Das kleine Mädchen hockt sich schließlich auf den Koffer und beißt die Zähne fest zusammen. Im Bahnhof einer fremden Stadt auf seine Mutter zu warten, die man nur als Fotografie kennt und die nicht kommt, – das ist kein Kinderspiel!

54

Frau Luiselotte Palfy, geborene Körner, die sich seit sechseinhalb Jahren (seit ihrer Scheidung) wieder Luiselotte Körner nennt, ist im Verlag der »Münchner Illustrierte«, wo sie als Bildredakteurin angestellt ist, durch neu eingetroffenes Material für die aktuellen Seiten aufgehalten worden.

Endlich hat sie ein Taxi ergattert. Endlich hat sie eine Bahnsteigkarte erkämpft. Endlich hat sie im Dauerlauf Bahnsteig 16 erreicht.

Der Bahnsteig ist leer.

Nein! Ganz, ganz hinten sitzt ein Kind auf einem
Koffer! Die junge Frau rast wie die Feuerwehr den
Bahnsteig entlang!

Einem kleinen Mädchen, das auf einem Koffer
hockt, zittern die Knie. Ein ungeahntes Gefühl ergreift
das Kinderherz. Diese junge, glückstrahlende, diese
wirkliche, wirbelnde, lebendige Frau ist ja die Mutter!

»Mutti!«

Luise stürzt der Frau entgegen und springt ihr, die
Arme hochwerfend, an den Hals.

»Mein Hausmütterchen«, flüstert die junge Frau unter Tränen. »Endlich, endlich hab ich dich wieder!«

Der kleine Kindermund küßt leidenschaftlich ihr weiches Gesicht, ihre zärtlichen Augen, ihre Lippen, ihr Haar, ihr schickes Hütchen. Ja, das Hütchen auch!

Sowohl im Restaurant als auch in der Küche des Hotels »Imperial« in Wien herrscht wohlwollende Aufregung. Der Liebling der Stammgäste und der Angestellten, die Tochter des Opernkapellmeisters Palfy, ist wieder da!

Lotte, pardon, Luise sitzt, wie es alle gewohnt sind, auf dem angestammten Stuhl mit den zwei hohen Kissen und ißt mit Todesverachtung gefüllte Eierkuchen.

Die Stammgäste kommen, einer nach dem andern, zum Tisch, streichen dem kleinen Mädchen über die Locken, klopfen ihm zärtlich die Schultern, fragen, wie es ihm im Ferienheim gefallen hat, meinen, in Wien beim Papa sei's aber doch wohl am schönsten, legen allerlei Geschenke auf den Tisch: Zuckerln, Schokolade, Pralinen, Buntstifte, ja, einer holt sogar ein kleines altmodisches Nähzeug aus der Tasche und sagt verlegen, es sei noch von seiner Großmutter selig, – dann nicken sie dem Kapellmeister zu und wandern an ihre Tische zurück. Heute wird ihnen das Essen endlich wieder richtig schmecken, den einsamen Onkels!

Am besten schmeckt's freilich dem Herrn Kapellmeister selber. Ihm, der sich immer aufs Einsamseinmüssen aller »wahren Künstlernaturen« soviel zugute getan und der seine verflossene Ehe stets für einen Fehltritt ins Bürgerliche gehalten hat, ihm ist heute höchst »unkünstlerisch« warm und familiär ums Herz. Und als die Tochter schüchtern lächelnd seine Hand ergreift, als habe sie Angst, der Vater könne ihr sonst womöglich davonlaufen, da hat er wahrhaftig, obgleich er Beinfleisch und keineswegs Knödel verspeist, einen Kloß im Hals!

Ach, und da kommt der Kellner Franz schon wieder mit einem neuen Eierkuchen angewedelt!

Lotte schüttelt die Locken. »Ich kann nimmer, Herr Franz!«

»Aber Luiserl!« meint der Kellner vorwurfsvoll. »Es ist doch erst der fünfte!«

Nachdem der Herr Franz leicht bekümmert mitsamt dem fünften Eierkuchen in die Küche zurückgesegelt ist, nimmt sich Lotte ein Herz und sagt: »Weißt du was, Vati, – ab morgen eß ich immer das, was *du* ißt!«

»Nanu!« ruft der Herr Kapellmeister. »Und wenn ich nun Geselchtes eß? Das kannst du doch nicht ausstehen! Da wird dir doch übel!«

»Wenn du Geselchtes ißt«, meint sie zerknirscht, »kann ich ja wieder Eierkuchen essen.« (Es ist halt

doch nicht ganz so einfach, seine eigene Schwester zu sein!) Und nun?

Und nun erscheint der Hofrat Strobl mit Peperl. Peperl ist ein Hund. »Schau, Peperl«, sagt der Herr Hofrat lächelnd, »wer wieder da ist! Geh hin, und sag dem Luiserl Grüß Gott!«

Peperl wedelt mit dem Schwanz und trabt eifrig an Palfys Tisch, um dem Luiserl, seiner alten Freundin, Grüß Gott zu sagen.

Ja, Kuchen, nein, Hundekuchen! Als Peperl am Tisch angekommen ist, beschnuppert er das kleine Mädchen und zieht sich, ohne Grüß Gott, eiligst zum Herrn Hofrat zurück. »So ein blödes Viech!« bemerkt

dieser ungnädig. »Erkennt seine beste Freundin nicht wieder! Bloß weil sie ein paar Wochen am Land war! Und da reden die Leut immer, ganz g'schwolln, vom untrüglichen Instinkt der Tiere!« Lottchen aber denkt bei sich: ›Ein Glück, daß die Hofräte nicht so gescheit wie der Peperl sind!‹

Der Herr Kapellmeister und seine Tochter sind, mit den Geschenken der Stammgäste, dem Koffer, der Puppe und der Badetasche beladen, zu Haus in der

Rotenturmstraße eingetroffen. Und Resi, Palfys Haushälterin, hat sich vor Wiedersehensfreude gar nicht zu lassen gewußt.

Aber Lotte weiß von Luise, daß Resi eine falsche Blunzen und ihr Getue Theater ist. Vater merkt natürlich nichts. Männer merken nie etwas!

Er fischt ein Billett aus der Brieftasche, gibt es der Tochter und sagt: »Heute abend dirigier ich Humperdincks ›Hänsel und Gretel‹! Resi bringt dich ins Theater und holt dich nach Schluß wieder ab.«

»Oh!« Lotte strahlt. »Kann ich dich von meinem Platz aus sehen?«

»Freilich.«

»Und guckst du manchmal zu mir hin?«

»Na selbstverständlich!«

»Und darf ich ein bißchen winken, wenn du guckst?«

»Ich werd sogar zurückwinken, Luiserl!«

Dann klingelt das Telefon. Am anderen Ende redet eine weibliche Stimme. Der Vater antwortet ziemlich einsilbig. Aber wie er den Hörer aufgelegt hat, hat er es dann doch ziemlich eilig. Er muß noch ein paar Stunden allein sein, ja, und komponieren. Denn schließlich ist er nicht nur Kapellmeister, sondern auch Komponist. Und komponieren kann er nun einmal nicht zu Hause. Nein, dafür hat er sein Atelier in der Ringstraße. Also...

»Morgen mittag auf Wiedersehen im Imperial!«
»Und ich darf dir in der Oper zuwinken, Vati?«
»Natürlich, Kind. Warum denn nicht?«

Kuß auf die ernste Kinderstirn! Hut auf den kantigen Künstlerkopf! Die Tür schlägt zu.

Das kleine Mädchen geht langsam zum Fenster und denkt bekümmert über das Leben nach. Die Mutter *darf* nicht zu Hause arbeiten. Der Vater *kann* nicht zu Hause arbeiten.

Man hat's schwer mit den Eltern!

Aber da sie, nicht zuletzt dank der mütterlichen Erziehung, ein resolutes und praktisches Persönchen ist, steckt sie sehr bald das Nachdenken auf, bewaffnet sich mit ihrem Oktavheft und beginnt an Hand von Luises Angaben systematisch, Zimmer für Zimmer, die schöne Altwiener Wohnung für sich zu entdecken.

Nachdem sie die Forschungsreise hinter sich hat, setzt sie sich aus alter Gewohnheit an den Küchentisch und rechnet in dem herumliegenden Haushaltsbuch der Reihe nach die Ausgabenspalten durch.

Dabei fällt ihr zweierlei auf. Erstens hat sich Resi, die Haushälterin, auf fast jeder Seite verrechnet. Und zweitens hat sie das jedesmal zu ihren Gunsten getan!

»Ja, was soll denn das heißen?« Resi steht in der Küchentür. »Ich hab in deinem Buch nachgerechnet«, sagt Lotte leise, aber bestimmt.

»Was sind denn das für neue Moden?« fragt Resi böse. »Rechne du in der Schule, wo's hingehört!«

»Ich werd jetzt immer bei dir nachrechnen«, erklärt das Kind sanft und hüpft vom Küchenstuhl. »Wir lernen *in* der Schule, aber nicht *für* die Schule, hat die Lehrerin gesagt.« Damit stolziert sie aus der Tür.

Resi starrt verblüfft hinterdrein.

Wertgeschätzte kleinere und größere Leserinnen und
Leser! Jetzt wird es, glaube und fürchte ich, allmählich Zeit, daß ich auch ein wenig von Luises und Lottes Eltern berichte, vor allem darüber, wie es seiner-
zeit zu der Scheidung zwischen ihnen kam. Sollte
euch an dieser Stelle des Buchs ein Erwachsener über
die Schulter blicken und rufen: »Dieser Mensch! Wie
kann er nur, um alles in der Welt, solche Sachen den
Kindern erzählen!« dann lest ihm, bitte, das Folgende
vor:

»Als Shirley Temple ein kleines Mädchen von sieben, acht Jahren war, war sie doch schon ein auf der
ganzen Erde berühmter Filmstar, und die Firmen ver-
dienten viele Millionen Dollar mit ihr. Wenn Shirley

aber mit ihrer Mutter in ein Kino gehen wollte, um sich einen Shirley-Temple-Film anzuschauen, ließ man sie nicht hinein. Sie war noch zu jung. Es war verboten. Sie durfte nur Filme drehen. Das war erlaubt. Dafür war sie alt genug.«

Wenn der Erwachsene, der euch über die Schulter guckt, das Beispiel von Shirley Temple und den Zusammenhang mit Luises und Lottes Eltern und ihrer Scheidung nicht verstanden hat, dann richtet ihm einen schönen Gruß von mir aus, und ich ließe ihm sagen, es gäbe auf der Welt sehr viele geschiedene Eltern, und es gäbe sehr viele Kinder, die darunter litten! Und es gäbe sehr viele andere Kinder, die darunter litten, daß die Eltern sich *nicht* scheiden ließen! Wenn man aber den Kindern zumutete, unter diesen Umständen zu leiden, dann sei es doch wohl allzu zartfühlend und außerdem verkehrt, nicht mit ihnen darüber in verständiger und verständlicher Form zu sprechen!

Also, der Herr Kapellmeister Ludwig Palfy ist ein Künstler, und Künstler sind bekanntlich seltsame Lebewesen. Er trägt zwar keine Kalabreser und keine flatternden Krawatten, im Gegenteil, er ist ganz manierlich gekleidet, sauber und beinahe elegant.

Aber sein Innenleben! Das ist kompliziert! Oh! Sein

Innenleben, das hat es in sich! Wenn er einen musikalischen Einfall hat, muß er, um ihn zu notieren und kompositorisch auszugestalten, auf der Stelle allein sein. Und so einen Einfall hat er womöglich auf einer großen Gesellschaft! »Wo ist denn Palfy hin?« fragt dann der Hausherr. Und irgend jemand antwortet: »Es wird ihm wohl wieder etwas eingefallen sein!« Der Hausherr lächelt sauersüß, bei sich aber denkt er: ›Flegel! Man kann doch nicht bei jedem Einfall weglaufen!‹ Doch der Kapellmeister Palfy, der kann!

Der lief auch aus der eigenen Wohnung fort, als er noch verheiratet war, damals, blutjung, verliebt, ehrgeizig, selig und verrückt in einem!

Und als dann gar die kleinen Zwillinge in der Wohnung Tag und Nacht krähten und die Wiener Philharmoniker sein Erstes Klavierkonzert uraufführten, da ließ er einfach den Flügel abholen und in ein Atelier am Ring bringen, das er in seiner künstlerischen Verzweiflung gemietet hatte!

Und da er damals sehr viele Einfälle hatte, kam er nur noch sehr selten zu seiner jungen Frau und den brüllenden Zwillingen.

Luiselotte Palfy, geb. Körner, kaum zwanzig Jahre alt, fand das nicht sehr fidel. Und als ihr zu den kaum zwanzigjährigen Ohren kam, daß der Herr Gemahl in seinem Atelier nicht nur Noten malte, sondern auch mit Opernsängerinnen, die ihn sehr nett fanden, Gesangsrollen studierte, da reichte sie empört die Scheidung ein!

Nun war der um seine schöpferische Einsamkeit so besorgte Kapellmeister fein heraus. Nun konnte er soviel allein sein, wie er wollte. Den ihm nach der Scheidung verbliebenen Zwilling versorgte in der Rotenturmstraße ein tüchtiges Kindermädchen. Um ihn selber, im Atelier am Ring, kümmerte sich, wie er sich's so sehnlich gewünscht hatte, kein Aas!

Das war ihm nun mit einem Male auch nicht recht. O diese Künstler! Sie wissen wirklich nicht, was sie wollen! Immerhin, er komponierte und dirigierte fleißig und wurde von Jahr zu Jahr berühmter. Außerdem konnte er ja, wenn ihn der Katzenjammer packte, in die andere Behausung gehen und mit Luise, dem Töchterchen, spielen.

Sooft in München ein Konzert war, bei dem neue Werke von Ludwig Palfy aufgeführt wurden, kaufte sich Luiselotte Körner ein Billett, saß dann, mit gesenktem Kopf, in einer der letzten, billigen Reihen und entnahm der Musik ihres geschiedenen Mannes, daß er kein glücklicher Mensch geworden war. Trotz seiner Erfolge. Und trotz seiner Einsamkeit.

SECHSTES KAPITEL

Wo ist das Geschäft der Frau Wagenthaler? — Aber!
Kochen verlernt man doch nicht! — Lotte winkt in der
Oper — Es regnet Pralinen — Die erste Nacht in Mün-
chen und die erste Nacht in Wien — Der merkwürdige
Traum, worin Fräulein Gerlach als Hexe auftritt — El-
tern dürfen alles — Vergißmeinnicht München 18!

Frau Luiselotte Körner hat ihre Tochter gerade noch
in die winzige Wohnung in der Max-Emanuel-Straße
bringen können. Dann mußte sie, sehr ungern und sehr
schnell, wieder in den Verlag fahren. Arbeit wartet auf
sie. Und Arbeit darf nicht warten.

Luise, ach nein! Lotte hat sich studienhalber kurz in
der Wohnung umgesehen. Dann hat sie die Schlüssel,
das Portemonnaie und ein Netz genommen. Und nun
macht sie Einkäufe. Beim Metzgermeister Huber an
der Ecke Prinz-Eugen-Straße ersteht sie ein halbes
Pfund Rindfleisch, Querrippe, schön durchwachsen,
mit etwas Niere und ein paar Knochen. Und jetzt sucht
sie krampfhaft das Viktualiengeschäft der Frau Wagenthaler, um Suppengrün, Nudeln und Salz zu besorgen.

Und Anni Habersetzer wundert sich nicht wenig, daß

ihre Mitschülerin Lotte Körner mitten auf der Straße
steht und angestrengt in einem Oktavheft blättert.

»Machst du auf der Straße Schularbeiten?« fragt sie
neugierig. »Heut sind doch noch Ferien!«

Luise starrt das andere Mädchen verdutzt an. Es ist ja
auch zu blöd, wenn einen jemand anspricht, den man,
obwohl man ihn noch nie im Leben sah, genau zu kennen hat! Schließlich reißt sie sich zusammen und sagt
vergnügt: »Grüß Gott! Kommst mit? Ich muß zur Frau

Wagenthaler, Suppengrün kaufen.« Dann hängt sie sich bei der anderen ein — wenn sie wenigstens wüßte, wie das sommersprossige Ding mit dem Vornamen heißt! — und läßt sich von ihr, ohne daß sie es merkt, zum Laden der Frau Wagenthaler lotsen.

Die Frau Wagenthaler freut sich natürlich, daß Lottchen Körner aus den Ferien zurück ist und so rote Bak-
ken gekriegt hat! Als der Einkauf erledigt ist, erhalten
die Mädchen je einen Bonbon und außerdem den Auf-
trag, der Frau Körner und der Frau Habersetzer einen
schönen Gruß auszurichten.

Da fällt der Luise ein Stein vom Herzen. Endlich
weiß sie, daß die andere die Anni Habersetzer sein
muß! (Im Oktavheft steht: »Anni Habersetzer, ich war
dreimal mit ihr böse, sie haut kleinere Kinder, besonders die Ilse Merck, die kleinste in der Klasse.«) Nun,
damit kann man schon etwas anfangen!

Beim Abschied vor der Haustür sagt also Luise: »Eh
ich es vergesse — Anni —, dreimal war ich mit dir böse,
wegen der Ilse Merck und so, du weißt schon. Das
nächste Mal bin ich dir nicht bloß böse, sondern...«
Dabei macht sie eine eindeutige Handbewegung und
rauscht davon.

›Das werden wir ja sehen‹, denkt Anni wütend.
›Gleich morgen werden wir das sehen! Die ist wohl in
den Ferien übergeschnappt?‹

Luise kocht. Sie hat eine Schürze von Mutti umgebun-
den und rennt zwischen dem Gasherd, wo Töpfe über
den Flammen stehen, und dem Tisch, auf dem das

Kochbuch aufgeschlagen liegt, wie ein Kreisel hin und her. Dauernd hebt sie die Topfdeckel hoch. Wenn kochendes Wasser zischend überläuft, zuckt sie zusammen. Wieviel Salz sollte ins Nudelwasser? »Ein halber Eßlöffel!« Wieviel Selleriesalz? »Eine Prise!« Wieviel, um alles in der Welt, ist eine Prise?

Und dann: »Muskatnuß reiben!« Wo steckt die Muskatnuß? Wo das Reibeisen?

Das kleine Mädchen wühlt in Schubfächern, klettert auf Stühle, schaut in alle Behältnisse, starrt auf die Uhr an der Wand, springt vom Stuhl herunter, ergreift eine Gabel, hebt einen Deckel auf, verbrennt sich die Finger, quiekt, sticht mit der Gabel in dem Rindfleisch herum — nein, es ist noch nicht weich!

Mit der Gabel in der Hand bleibt sie wie angewurzelt stehen. Was wollte sie eben noch suchen? Ach richtig! Die Muskatnuß und das Reibeisen! Nanu, was liegt denn da friedlich neben dem Kochbuch? Das Suppengrün! Herrje, das muß doch geputzt und in die Bouillon getan werden! Also, Gabel weg, Messer her! Ob das Fleisch jetzt gar ist? Und wo sind die Reibnuß und das Muskateisen? Quatsch, das Reibeisen und die Muskatnuß? Suppengrün muß man erst unter der Wasserleitung waschen. Und die Möhre muß geschabt werden. Au, man darf sich dabei natürlich nicht in den Finger

73

schneiden! Und wenn das Fleisch weich ist, muß man es aus dem Topf herausnehmen. Und um später die Knochen abzuschöpfen, braucht man ein Sieb! Und in einer halben Stunde kommt Mutti! Und zwanzig Minuten vorher muß man die Nudeln in kochendes Wasser werfen! Und wie es in der Küche aussieht! Und die Muskatnuß! Und das Sieb! Und das Reibeisen! Und... Und... Und...

Luise sinkt auf dem Küchenstuhl zusammen. Ach Lottchen! Es ist nicht leicht, deine Schwester zu sein! Hotel Imperial... Hofrat Strobl... Peperl... Herr Franz... Und Vati... Vati... Vati...

Und die Uhr tickt.

In neunundzwanzig Minuten kommt Mutti! — In achtundzwanzig und einer halben Minute! — In achtundzwanzig! Luise ballt vor Entschlossenheit die Fäuste und erhebt sich zu neuen Taten. Dabei knurrt sie: »Das wär doch gelacht!«

Doch mit dem Kochen ist das eine eigene Sache. Entschlossenheit genügt vielleicht, um von einem hohen Turm zu springen. Aber um Nudeln mit Rindfleisch zu kochen, dazu braucht's mehr als Willenskraft.

Und als Frau Körner, müde von des Tages Unrast, heimkehrt, findet sie kein lächelndes Hausmütterchen vor, bewahre, sondern ein völlig erschöpftes Häufchen

74

Unglück, ein leicht beschädigtes, verwirrtes, zerknittertes Etwas, aus dessen zum Weinen verzogenem Mund es ihr entgegenklingt: »Schimpf nicht, Mutti! Ich glaub, ich kann nicht mehr kochen!«

»Aber Lottchen, Kochen verlernt man doch nicht!« ruft die Mutter verwundert. Doch zum Wundern ist wenig Zeit. Es gilt, Kindertränen zu trocknen, Bouillon abzuschmecken, zerkochtes Fleisch hineinzuwerfen, Teller und Bestecke aus dem Schrank zu holen und vieles mehr.

Als sie endlich im Wohnzimmer unter der Lampe sitzen und Nudelsuppe löffeln, meint die Mutter tröstend:

»Es schmeckt doch eigentlich sehr gut, nicht?«

»Ja?« Ein schüchternes Lächeln stiehlt sich in das Kindergesicht. »Wirklich?«

Die Mutter nickt und lächelt still zurück.

Luise atmet auf, und nun schmeckt es ihr selber mit einem Male so gut wie noch nie im Leben! Trotz Hotel Imperial und Eierkuchen.

»Die nächsten Tage werde ich selber kochen«, sagt die Mutter. »Du wirst dabei schön aufpassen. Dann kannst du's bald wieder wie vor den Ferien.«

Die Kleine nickt eifrig. »Vielleicht sogar noch besser!« meint sie etwas vorlaut.

Nach dem Essen waschen sie gemeinsam das Geschirr ab. Und Luise erzählt, wie schön es im Ferienheim war. (Allerdings, von dem Mädchen, das ihr zum Verwechseln ähnlich war, erzählt sie kein Sterbenswort!)

Lottchen sitzt währenddem, in Luises schönstem Kleid, an die samtene Brüstung einer Rangloge der Wiener Staatsoper gepreßt und schaut mit brennenden Augen zum Orchester hinunter, wo Kapellmeister Palfy die Ouvertüre von »Hänsel und Gretel« dirigiert.

Wie wundervoll Vati im Frack aussieht! Und wie die Musiker parieren, obwohl ganz alte Herren darunter sind! Wenn er mächtig mit dem Stock droht, spielen sie, so laut sie können. Und wenn er will, daß sie leiser sein sollen, dann säuseln sie wie der Abendwind. Müssen die vor ihm eine Angst haben! Dabei hat er vorhin so vergnügt zur Loge heraufgewinkt!

Die Logentür geht.

Eine elegante junge Dame rauscht herein, setzt sich an die Brüstung und lächelt dem aufblickenden Kind zu.

Lotte wendet sich schüchtern ab und schaut wieder zu, wie Vati die Musiker dressiert.

Die junge Dame holt ein Opernglas hervor. Und eine Konfektschachtel. Und ein Programm. Und eine Pu-

derdose. Sie hört nicht auf, bis die Samtbrüstung wie
ein Schaufenster aussieht.

Als die Ouvertüre zu Ende ist, klatscht das Publikum
laut Beifall. Der Herr Kapellmeister Palfy verbeugt
sich einige Male. Und dann sieht er, während er erneut
den Dirigentenstab hebt, zur Loge empor.

Lotte winkt schüchtern mit der Hand. Vati lächelt
noch zärtlicher als vorhin.

Da merkt Lotte, daß nicht nur sie mit der Hand winkt
— sondern auch die Dame neben ihr!

Die Dame winkt Vati zu? Vati hat vielleicht ihretwe-
gen so zärtlich gelächelt? Und gar nicht wegen seiner
Tochter? Ja, und wieso hat Luise nichts von der frem-

den Frau erzählt? Kennt Vati sie noch nicht lange? Aber wie darf sie ihm dann so vertraulich zuwinken? Das Kind notiert im Gedächtnis: »Heute noch an Luise schreiben. Ob sie etwas weiß. Morgen vor der Schule zum Postamt. Postlagernd aufgeben: Vergißmeinnicht München 18.«

Dann hebt sich der Vorhang, und das Schicksal Hänsels und Gretels fordert die gebührende Anteilnahme. Lottchens Atem geht stockend. Da unten schicken die Eltern ihre zwei Kinder in den Wald, um sie loszuwerden. Dabei haben sie die Kinder doch lieb! Wie können sie dann so böse sein? Oder sind sie gar nicht böse? Ist nur das, was sie *tun*, böse? Sie sind traurig darüber. Warum machen sie es dann?

Lottchen, der halbierte und vertauschte Zwilling, gerät in wachsende Erregung. Ohne sich dessen völlig bewußt zu werden, gilt der Widerstreit ihrer Gefühle immer weniger den beiden Kindern und Eltern dort unten auf der Bühne, immer mehr ihr selber, der Zwillingsschwester und den eigenen Eltern. Durften diese tun, was sie getan haben? Ganz gewiß ist Mutti keine böse Frau, und auch der Vater ist bestimmt nicht bös. Doch was sie *taten*, das *war* böse! Der Holzhauer und seine Frau waren so arm, daß sie kein Brot für die Kinder kaufen konnten. Aber Vati? War der so arm gewesen?

Als später Hänsel und Gretel vor dem knusprigen Pfefferkuchenhaus ankommen, daran herumknabbern und vor der Hexenstimme erschrecken, beugt sich Fräulein Irene Gerlach, so heißt die elegante Dame, zu dem Kind hinüber, schiebt ihm die Konfektschachtel zu und flüstert: »Willst du auch ein bißchen knuspern?«

Lottchen zuckt zusammen, blickt auf, sieht das

Frauengesicht vor sich und macht eine wild abwehrende Geste. Dabei fegt sie leider die Konfektschachtel von der Brüstung, und unten im Parkett regnet's vorübergehend, wie aufs Stichwort, Pralinen! Köpfe wenden sich nach oben. Gedämpftes Lachen mischt sich in die Musik. Fräulein Gerlach lächelt halb verlegen, halb ärgerlich.

Das Kind wird ganz steif vor Schreck. Es ist mit einem Schlag aus dem gefährlichen Zauber der Kunst herausgerissen worden. Es befindet sich, mit einem Schlag, im gefährlichen Bereich der Wirklichkeit.

»Entschuldigen Sie vielmals«, wispert Lottchen.

Die Dame lächelt verzeihend. »Oh, das macht nix, Luiserl«, sagt sie.

Ob das auch eine Hexe ist? Eine schönere als die auf der Bühne?

Luise liegt zum erstenmal in München im Bett. Die Mutter sitzt auf der Bettkante und sagt: »So, mein Lottchen, nun schlaf gut! Und träum was Schönes!«

»Wenn ich nicht zu müd dazu bin«, murmelt das Kind. »Kommst du auch bald?«

An der Gegenwand steht ein größeres Bett. Auf der zurückgeschlagenen Decke liegt Muttis Nachthemd, parat zum Hineinschlüpfen.

»Gleich«, sagt die Mutter. »Sobald du eingeschlafen bist.«

Das Kind schlingt die Arme um ihren Hals und gibt ihr einen Kuß. Dann noch einen. Und einen dritten. »Gute Nacht!«

Die junge Frau drückt das kleine Wesen an sich. »Ich bin so froh, daß du wieder daheim bist«, flüstert sie. »Ich hab ja nur noch dich!«

Der Kopf des Kindes sinkt schlaftrunken zurück. Luiselotte Palfy, geb. Körner, stopft das Deckbett zurecht und lauscht eine Weile auf die Atemzüge ihrer Tochter. Dann steht sie behutsam auf. Und auf Zehenspitzen geht sie ins Wohnzimmer zurück.

Unter der Stehlampe liegt die Aktenmappe. Es gibt noch soviel zu tun.

Lotte ist zum erstenmal von der mürrischen Resi ins Bett gebracht worden. Anschließend ist sie heimlich wieder aufgestanden und hat den Brief geschrieben, den sie morgen früh zum Postamt bringen will. Dann hat sie sich leise in Luisens Bett zurückgeschlichen und, bevor sie das Licht ausknipste, das Kinderzimmer noch einmal in Ruhe betrachtet.

Es ist ein geräumiger, hübscher Raum mit Märchenfriesen an den Wänden, mit einem Spielzeugschrank, mit einem Bücherbord, einem Schreibpult für die Schularbeiten, einem großen Kaufmannsladen, einer zierlichen altmodischen Frisiertoilette, einem Puppenwagen, einem Puppenbett, nichts fehlt, bis auf die Hauptsache!

Hat sie sich nicht manchmal — ganz im stillen, damit Mutti es nur ja nicht merke — so ein schönes Zimmer gewünscht? Nun sie es hat, bohrt sich ihr ein spitzer, von Sehnsucht und Neid scharfgeschliffener Schmerz ins Gemüt. Sie sehnt sich nach dem kleinen, bescheidenen Schlafzimmer, wo jetzt die Schwester liegt, nach Muttis Gutenachtkuß, nach dem Lichtschein, der aus dem Wohnzimmer herüberzwinkert, wo Mutti noch arbeitet, danach, daß dann leise die Tür geht, daß sie hört, wie Mutti am Kinderbett stehen bleibt, auf Zehenspitzen zum eigenen Bett hinüberhuscht, ins Nachthemd schlüpft und sich in ihre Decke kuschelt.

Wenn hier, wenigstens im *Neben*zimmer, Vatis Bett stünde! Vielleicht würde er schnarchen. Das wäre schön! Da wüßte man, daß er ganz in der Nähe ist! Aber er schläft nicht in der Nähe, sondern in einem anderen Haus, am Kärntner Ring. Vielleicht schläft er überhaupt noch nicht, sondern sitzt mit dem eleganten Pralinenfräulein in einem großen, glitzernden Saal, trinkt Wein, lacht, tanzt mit ihr, nickt ihr zärtlich zu, wie vorhin in der Oper, *ihr*, nicht dem kleinen Mädchen, das glücklich und verstohlen aus der Loge winkte.

Lotte schläft ein. Sie träumt. Das Märchen von den armen Eltern, die, weil sie kein Brot hatten, Hänsel und Gretel in den Wald schickten, mischt sich mit eignen Ängsten und eignem Jammer.

Lotte und Luise sitzen in diesem Traum mit erschrockenen Augen in einem gemeinsamen Bett und starren auf eine Tür, durch die viele weißbemützte Bäcker kommen und Brote hereinschleppen. Sie schichten die Brote an den Wänden auf. Immer mehr Bäcker kommen und gehen. Die Brotberge wachsen. Das Zimmer wird immer enger.

Dann steht der Vater da, im Frack, und dirigiert die Bäckerparade mit lebhaften Gesten. Mutti kommt hereingestürzt und fragt bekümmert: »Aber Mann, was soll denn nun werden?«

»Die Kinder müssen fort!« schreit er böse. »Wir haben keinen Platz mehr! Wir haben zuviel Brot im Hause!«

Mutti ringt die Hände. Die Kinder schluchzen erbärmlich.

»Hinaus!« ruft er und hebt drohend den Dirigentenstab. Da rollt das Bett gehorsam zum Fenster. Die Fensterflügel springen auf. Das Bett schwebt zum Fenster hinaus.

Es fliegt über eine große Stadt dahin, über einen Fluß, über Hügel, Felder, Berge und Wälder. Dann senkt es sich wieder zur Erde herab und landet in einem mächtigen, urwaldähnlichen Baumgewirr, in dem es von unheimlichem Vogelgekrächz und vom Gebrüll wilder Tiere schauerlich widerhallt. Die beiden kleinen Mädchen sitzen, von Furcht gelähmt, im Bett.

Da knackt und prasselt es im Dickicht!

Die Kinder werfen sich zurück und ziehen die Decke über die Köpfe. Aus dem Gestrüpp kommt jetzt die Hexe hervor. Es ist aber nicht die Hexe von der Opernbühne, sondern sie ähnelt viel eher der Pralinendame aus der Loge. Sie blickt durch ihr Opernglas zu dem Bettchen hinüber, nickt mit dem Kopf, lächelt sehr hochmütig und klatscht dreimal in die Hände.

Wie auf Kommando verwandelt sich der dunkle Wald in eine sonnige Wiese. Und auf der Wiese steht ein aus Konfektschachteln gebautes Haus, mit einem Zaun aus Schokoladetafeln. Vögel zwitschern lustig, im Gras hüpfen Hasen aus Marzipan, und überall schimmert es von goldenen Nestern, in denen Ostereier liegen. Ein kleiner Vogel setzt sich aufs Bett und singt so hübsch Koloratur, daß sich Lotte und Luise, wenn

auch zunächst nur bis zu den Nasenspitzen, unter ihrer Decke hervortrauen. Als sie nun die Wiese mit den Osterhasen, die Schokoladeneier und das Pralinenhaus sehen, klettern sie schnell aus dem Bett und laufen zum Zaun. Dort stehen sie nun in ihren langen Nachthemden und staunen. »Spezialmischung!« liest Luise laut vor. »Und Krokant! Und Nougatfüllung!«

»Und bittere Sonderklasse!« ruft Lotte erfreut. (Denn sie ißt auch im Traum nicht gerne Süßes.)

Luise bricht ein großes Stück Schokolade vom Zaun. »Mit Nuß!« meint sie begehrlich und will hineinbeißen.

Da ertönt Hexenlachen aus dem Haus! Die Kinder erschrecken! Luise wirft die Schokolade weit weg!

Und schon kommt Mutti mit einem großen Handwagen voller Brote über die Wiese gekeucht. »Halt, Kinder!« ruft sie angstvoll. »Es ist alles vergiftet!«

»Wir hatten Hunger, Mutti.«

»Hier habt ihr Brot! Ich konnte nicht früher aus dem Verlag weg!« Sie umarmt ihre Kinder und will sie fortziehen. Doch da öffnet sich die Pralinentür. Der Vater erscheint mit einer großen Säge, wie Holzhauer sie haben, und ruft: »Lassen Sie die Kinder in Ruhe, Frau Körner!«

»Es sind *meine* Kinder, Herr Palfy!«

»Meine *auch*«, schreit er zurück. Und während er sich nähert, erklärt er trocken: »Ich werde die Kinder halbieren! Mit der Säge! Ich kriege eine halbe Lotte und von Luise eine Hälfte, und Sie auch, Frau Körner!«

Die Zwillinge sind zitternd ins Bett gesprungen.

Mutti stellt sich, mit ausgebreiteten Armen, schützend vor das Bett. »Niemals, Herr Palfy!«

Aber der Vater schiebt sie beiseite und beginnt, vom Kopfende her, das Bett durchzusägen. Die Säge kreischt so, daß man friert, und sägt das Bett Zentimeter auf Zentimeter der Länge nach durch.

»Laßt euch los!« befiehlt der Vater.

Die Säge kommt den ineinandergefalteten Geschwisterhänden immer näher, immer näher! Gleich ritzt sie die Haut! — Mutti weint herzzerbrechend.

Man hört die Hexe kichern.

Da endlich geben die Kinderhände nach.

Die Säge schneidet zwischen ihnen das Bett endgültig auseinander, bis zwei Betten, jedes auf vier Füßen, daraus geworden sind.

»Welchen Zwilling wollen Sie haben, Frau Körner?«

»Beide, beide!«

»Bedaure«, sagt der Mann. »Gerechtigkeit muß sein. Na, wenn Sie sich nicht entschließen können, — ich nehm die da! Mir ist es eh gleich. Ich kenn sie ja doch nicht auseinander.« Er greift nach dem einen Bett. »Welche bist du denn?«

»Das Luiserl!« ruft diese. »Aber du darfst das nicht tun!«

»Nein«, schreit nun Lotte. »Ihr dürft uns nicht halbieren!«

»Haltet den Mund!« erklärt der Mann streng. »Eltern dürfen alles!«

Damit geht er, das eine Kinderbett an einer Schnur hinter sich herziehend, auf das Pralinenhaus zu. Der Schokoladenzaun springt von selber auf.

Luise und Lotte winken einander verzweifelt zu.

»Wir schreiben uns!« brüllt Luise.

»Postlagernd!« schreit Lotte. »Vergißmeinnicht München 18!«

Der Vater und Luise verschwinden im Haus. Dann verschwindet auch das Haus, als würde es weggewischt.

Mutti umarmt Lotte und sagt traurig: »Nun sind wir beide vaterseelenallein.« Plötzlich starrt sie das Kind unsicher an. »Welches meiner Kinder bist du denn? Du siehst aus wie Lotte!«

»Ich *bin* ja Lotte!«

»Nein, du siehst aus wie Luise...«

»Ich bin doch Luise!«

Die Mutter blickt dem Kind erschrocken ins Gesicht und sagt, seltsamerweise mit Vaters Stimme: »Einmal Locken! Einmal Zöpfe! Dieselben Nasen! Dieselben Köpfe!«

Lotte hat jetzt links einen Zopf, rechts Locken wie Luise. Tränen rollen ihr aus den Augen. Und sie murmelt trostlos: »Nun weiß ich selber nicht mehr, wer von uns beiden ich bin! Ach, die arme Hälfte!«

SIEBENTES KAPITEL

Wochen sind vergangen — Peperl hat sich abgefunden — Eierkuchen haben keine Knochen — Alles hat sich verändert, besonders die Resi — Kapellmeister Palfy gibt Klavierstunden — Frau Körner macht sich Vorwürfe — Anni Habersetzer kriegt Watschen — Ein Wochenende, schön wie nichts auf der Welt!

Wochen sind seit jenem ersten Tag und jener ersten Nacht in der fremden Welt und unter fremden Menschen ins Land gegangen. Wochen, in denen jeder Augenblick, jeder Zufall und jede Begegnung Gefahr und Entdeckung mit sich bringen konnten. Wochen mit sehr viel Herzklopfen und manchem postlagernden Brief, der neue dringende Auskünfte heischte.

Es ist alles gut abgelaufen. Ein bißchen Glück war wohl auch dabei. Luise hat das Kochen »wieder« gelernt. Die Lehrerinnen in München haben sich einigermaßen damit abgefunden, daß die kleine Körner aus den Ferien weniger fleißig, ordentlich und aufmerksam, dafür aber um so lebhafter und »schlagfertiger« zurückgekehrt ist.

Und ihre Wiener Kolleginnen haben rein gar nichts

dagegen, daß die Tochter des Kapellmeisters Palfy neuerdings besser aufpaßt und besser multiplizieren kann. Erst gestern hat Fräulein Gstettner im Lehrerzimmer zu Fräulein Bruckbaur ziemlich geschwollen gesagt: »Die Entwicklung Luises zu beobachten, liebe Kollegin, ist für jedes pädagogische Auge ein lehrreiches Erlebnis. Wie sich hier aus Überschwang des Temperaments still wirkende, beherrschte Kraft herausgebildet hat, aus Übermut, Heiterkeit und aus naschhaftem Wissensdurst ein stetiger ins Kleinste gehender Bildungswille, — also, liebe Kollegin, das ist einzigartig! Und vergessen Sie eines nicht, diese Verwandlung, diese Metamorphose eines Charakters in eine höhere, gebändigte Form geschah völlig aus sich heraus, ohne jeden erzieherischen Druck von außen!«

Fräulein Bruckbaur hat gewaltig genickt und erwidert: »Diese Selbstentfaltung des Charakters, dieser Eigenwille zur Form zeigt sich auch im Wandel von Luises Schrift! Ich sag ja immer, daß Schrift und Charakter...« Aber wir wollen es uns schenken anzuhören, was Fräulein Bruckbaur immer sagt!

Vernehmen wir lieber, in rückhaltloser Anerkennung, daß Peperl, der Hund des Hofrats Strobl, seit einiger Zeit den alten Brauch wieder aufgenommen hat, dem kleinen Mädchen am Tisch des Herrn Kapell-

meisters Grüß Gott zu sagen. Er hat sich, obwohl es
über seinen Hundeverstand geht, damit abgefunden,
daß das Luiserl nicht mehr wie das Luiserl riecht. Bei
den Menschen ist so vieles möglich, warum nicht auch
das? Außerdem, neuerdings ißt die liebe Kleine nicht
mehr so oft Eierkuchen, statt dessen mit großem Ver-
gnügen Fleischernes. Wenn man nun bedenkt, daß
Eierkuchen keine Knochen haben, Koteletts hingegen
in erfreulicher Häufigkeit, so kann man doppelt verstehen, daß das Tier seine Zurückhaltung überwunden
hat.

Wenn Luises Lehrerinnen schon finden, daß sich

Luise in erstaunlicher Weise gewandelt hat, — was sollten sie erst zu Resi sagen, wenn sie Resi, die Haushälterin, näher kennten? Denn Resi, das steht außer Frage, ist tatsächlich ein völlig anderer Mensch geworden. Sie war vielleicht gar nicht von Grund auf betrügerisch, schlampert und faul? Sondern nur, weil das scharfe Auge fehlte, das alles überwacht und sieht?

Seit Lotte im Haus ist und sanft, doch unabwendbar alles prüft, alles entdeckt, alles weiß, was man über Küche und Keller wissen kann, hat sich Resi zu einer »ersten« Kraft entwickelt.

Lotte hat den Vater überredet, das Wirtschaftsgeld nicht länger der Resi, sondern ihr auszuhändigen. Und es ist einigermaßen komisch, wenn Resi anklopft und ins Kinderzimmer tritt, um sich von dem neunjährigen Kinde, das ernst am Pult sitzt und seine Schulaufgaben macht, Geld geben zu lassen. Sie berichtet gehorsam, was sie einkaufen muß, was sie zum Abendbrot auftischen will und was sonst im Haushalt nötig ist.

Lotte überschlägt rasch die Kosten, nimmt Geld aus dem Pult, zählt es Resi hin, schreibt den Betrag in ein Heft, und abends wird dann am Küchentisch gewissenhaft abgerechnet.

Sogar dem Vater ist es aufgefallen, daß der Haushalt früher mehr gekostet hat, daß jetzt, obwohl er weniger

Geld gibt, regelmäßig Blumen auf dem Tisch stehen, auch drüben im Atelier am Ring, und daß es in der Rotenturmstraße richtig heimelig geworden ist. (›So, als wäre eine Frau im Haus‹, hat er neulich gedacht! Und über diesen Gedanken war er nicht schlecht erschrokken!)

Daß er jetzt öfter und länger in der Rotenturmstraße sitzt, ist nun wieder Fräulein Irene Gerlach, der Pralinendame, aufgefallen. Und sie hat den Herrn Kapellmeister deswegen gewissermaßen zur Rede gestellt. Sehr vorsichtig natürlich, denn Künstler sind empfindlich!

»Ja weißt«, hat er gesagt, »neulich komm ich doch dazu, wie das Luiserl am Klavier sitzt und stillvergnügt auf den Tasten klimpert. Und dazu singt sie ein kleines Liedchen, einfach herzig! Wo sie doch früher nicht ans Klavier gegangen wär, und wenn man sie hingeprügelt hätt!«

»Und?« hat Fräulein Gerlach gefragt und die Brauen bis an den Haaransatz hinaufgezogen.

»Und?« Der Herr Palfy hat verlegen gelacht. »Seitdem geb ich ihr Klavierunterricht! Es macht ihr höllischen Spaß. Mir übrigens auch.«

Fräulein Gerlach hat sehr verächtlich geblickt. Denn sie ist eine geistig hochstehende Persönlichkeit. Dann hat sie spitz erklärt: »Ich dachte, du wärst Komponist und nicht Klavierlehrer für kleine Mädchen.«

Früher hätte das dem Künstler Ludwig Palfy niemand mitten ins Gesicht sagen dürfen! Heute hat er wie ein Schulbub gelacht und gerufen: »Aber ich hab ja noch nie im Leben soviel komponiert wie gerade jetzt! Und noch nie so was Gutes!«

»Was wird's denn werden?«

»Eine Kinderoper«, hat er geantwortet.

In den Augen der Lehrerinnen hat sich also Luise verändert. In den Augen des Kindes haben sich Resi und Peperl verändert. In den Augen des Vaters hat sich die Rotenturmstraße verändert. So etwas von Veränderei!

Und in München hat sich natürlich auch allerhand verändert. — Als die Mutter gemerkt hat, daß Lottchen nicht mehr so häuslich und in der Schule nicht mehr so fleißig ist, dafür aber quirliger und lustiger als früher, da ist sie in sich gegangen und hat zu sich selber also gesprochen: »Luiselotte, du hast aus einem fügsamen kleinen Wesen eine Haushälterin gemacht, aber kein Kind! Kaum war sie ein paar Wochen mit Gleichaltrigen zusammen, im Gebirge, an einem See, — schon ist sie geworden, was sie immer hätte sein sollen: ein lustiges, von deinen Sorgen wenig beschwertes kleines Mädchen! Du bist viel zu egoistisch gewesen, pfui! Freu dich, daß Lottchen heiter und glücklich ist! Mag sie getrost beim Abwaschen einen Teller zerschmettern! Mag sie sogar von der Lehrerin einen Brief heimbringen: ›Lottes Aufmerksamkeit, Ordnungsliebe und Fleiß lassen neuerdings leider bedenklich zu wünschen übrig. Die Mitschülerin Anni Habersetzer hat von ihr gestern schon wieder vier heftige Watschen erhalten.‹ Eine Mutter hat — und hätte sie noch so viele Sorgen — vor allem die Pflicht, ihr Kind davor zu bewahren, daß es zu früh aus dem Paradies der Kindheit vertrieben wird!«

So und ähnlich hat Frau Körner ernst zu sich selber gesprochen, und eines Tages schließlich auch zu Fräulein Linnekogel, Lottes Klassenlehrerin. »Mein Kind«, hat sie gesagt, »soll ein Kind sein, kein zu klein geratener Erwachsener! Es ist mir lieber, sie wird ein fröhlicher, leidenschaftlicher Racker, als daß sie um jeden Preis Ihre beste Schülerin bleibt!«

»Aber früher hat Lotte doch beides recht gut zu vereinbaren gewußt«, hat Fräulein Linnekogel, leicht pikiert, erklärt.

»Warum sie das jetzt nicht mehr kann, weiß ich nicht. Als berufstätige Frau weiß man überhaupt zu wenig von seinem Kind. Irgendwie muß es mit den Sommer-

ferien zusammenhängen. Aber eines weiß und sehe ich:
Daß sie's nicht mehr kann! Und das ist entscheidend!«

Fräulein Linnekogel hat energisch an ihrer Brille gerückt. »Mir, als der Erzieherin und Lehrerin Ihrer
Tochter, sind leider andere Ziele gesteckt. Ich muß und
werde versuchen, die innere Harmonie des Kindes wieder herzustellen!«

»Finden Sie wirklich, daß ein bißchen Unaufmerk-
samkeit in der Rechenstunde und ein paar Tinten-
kleckse im Schreibheft —«

»Ein gutes Beispiel, Frau Körner! Das Schreibheft!

Gerade Lottes Schrift zeigt, wie sehr das Kind die, ich möchte sagen, seelische Balance verloren hat. Aber lassen wir die Schrift beiseite! Finden Sie es in Ordnung, daß Lotte neuerdings Mitschülerinnen prügelt?«

»Mitschüler*innen*?« Frau Körner hat die Endung absichtlich betont. »Meines Wissens hat sie nur die Anni Habersetzer geschlagen.«

»Nur?«

»Und diese Anni Habersetzer hat die Ohrfeigen redlich verdient! Von irgendwem muß sie sie ja schließlich kriegen!«

»Aber Frau Körner!«

»Ein großes, gefräßiges Ding, das seine Gehässigkeit heimlich an den Kleinsten der Klasse auszulassen pflegt, sollte von der Lehrerin nicht noch in Schutz genommen werden.«

»Wie bitte? Wirklich? Davon weiß ich ja gar nichts!«

»Dann fragen Sie nur die arme kleine Ilse Merck! Vielleicht erzählt die Ihnen einiges!«

»Und warum hat mir Lotte nichts gesagt, als ich sie bestraft habe?«

Da hat sich Frau Körner ein wenig in die Brust geworfen und geantwortet: »Dazu fehlt es ihr wohl an der, um mit Ihnen zu sprechen, seelischen Balance!« Und dann ist sie in den Verlag gesaust. Um zurechtzu-

kommen, hat sie ein Taxi nehmen müssen. Zwei Mark dreißig. Ach, das liebe Geld!

Am Samstagmittag hat Mutti plötzlich den Rucksack gepackt und gesagt: »Zieh die festen Schuhe an! Wir fahren nach Garmisch und kommen erst morgen abend zurück!«

Luise hat ein bißchen ängstlich gefragt: »Mutti, — wird das nicht zu teuer?«

Der Frau Körner hat es einen kleinen Stich gegeben. Dann hat sie gelacht. »Wenn das Geld nicht reicht, verkauf ich dich unterwegs!«

Das Kind hat vor Wonne getanzt. »Fein! Wenn du dann das Geld hast, lauf ich den Leuten wieder weg! Und wenn du mich drei- bis viermal verkauft hast, haben wir soviel, daß du einen Monat nicht zu arbeiten brauchst!«

»So teuer bist du?«

»Dreitausend Mark und elf Pfennige! Und die Mundharmonika nehm ich auch mit!«

Das wurde ein Wochenende, — wie lauter Himbeeren mit Schlagsahne! Von Garmisch wanderten sie über Grainau an den Baadersee. Dann an den Eibsee. Mit Mundharmonika und lautem Gesang. Dann ging's durch hohe Wälder bergab. Über Stock und Stein. Walderdbeeren fanden sie. Und schöne, geheimnisvolle Blumen. Lilienhaften Türkenbund und vielblütigen lilafarbenen Enzian. Und Moos mit kleinen spitzen Helmen auf dem Kopf. Und winzige Alpenveilchen, die so süß dufteten, daß man's gar nicht fassen konnte!

Abends gerieten sie in ein Dorf namens Gries. Dort nahmen sie ein Zimmer mit *einem* Bett. Und als sie, in der Gaststube aus dem Rucksack futternd, mächtig geabendbrotet hatten, schliefen sie zusammen in dem Bett! Draußen auf den Wiesen geigten die Grillen eine kleine Nachtmusik...

Am Sonntagmorgen zogen sie weiter. Nach Ehr-

wald. Und Lermoos. Die Zugspitze glänzte silberweiß.
Die Bauern kamen in ihren Trachten aus der Kirche.
Kühe standen auf der Dorfstraße, als hielten sie einen
Kaffeeklatsch.

Übers Törl ging's dann. Das war ein Gekraxel, sakra,

sakra! Neben einer Pferdeweide, inmitten Millionen von Wiesenblumen, gab's gekochte Eier und Käsebrote. Und als Nachtisch einen kleinen Mittagsschlaf im Grase.

Später stiegen sie zwischen Himbeersträuchern und gaukelnden Schmetterlingen zum Eibsee hinunter. Kuhglocken läuteten den Nachmittag ein. Die Zugspitzbahn sahen sie in den Himmel kriechen. Der See lag winzig im Talkessel.

»Als ob der liebe Gott bloß mal so hingespuckt hätte«, sagte Luise versonnen.

Im Eibsee wurde natürlich gebadet. Auf der Hotelterrasse spendierte Mutti Kaffee und Kuchen. Und dann wurde es höchste Zeit, nach Garmisch zurückzumarschieren.

Vergnügt und braungebrannt saßen sie im Zug. Und der nette Herr gegenüber wollte unter gar keinen Umständen glauben, daß das junge Mädchen neben Luise die Mutti und noch dazu eine berufstätige Frau sei!

Zu Hause fielen sie wie die Plumpsäcke in ihre Betten. Das letzte, was das Kind sagte, war: »Mutti, heute war es so schön, — so schön wie nichts auf der Welt!«

Die Mutti lag noch eine Weile wach. Soviel leicht erreichbares Glück hatte sie bis jetzt ihrem kleinen

Mädchen vorenthalten! Nun, es war noch nicht zu spät. Noch ließ sich alles nachholen!

Dann schlief auch Frau Körner ein. Auf ihrem Gesicht träumte ein Lächeln. Es huschte über ihre Wangen, wie der Wind übern Eibsee.

Das Kind hatte sich verändert. Und nun begann sich also auch die junge Frau zu verändern.

ACHTES KAPITEL

Herr Gabele hat zu kleine Fenster — Kaffeebesuch am Kärntner Ring — Diplomatische Gespräche — Väter müssen streng sein können — Ein Lied in c-moll — Heiratspläne — Kobenzlallee 43 — Fräulein Gerlach ist ganz Ohr — Hofrat Strobl ist recht besorgt — Der Kapellmeister streichelt eine Puppe

Lottchens Klavierkünste liegen brach. Ihre Schuld ist es nicht. Aber der Vater hat neuerdings nicht mehr viel Zeit fürs Stundengeben übrig. Vielleicht hängt es mit der Arbeit an der Kinderoper zusammen? Das ist schon möglich. Oder? Nun, kleine Mädchen spüren, wenn etwas nicht stimmt. Wenn Väter von Kinderopern reden und über Fräulein Gerlach schweigen, — sie wittern wie kleine Tiere, woher Gefahr droht.

Lotte tritt, in der Rotenturmstraße, aus der Wohnung und klingelt an der gegenüberliegenden Tür. Dahinter haust ein Maler namens Gabele, ein netter, freundlicher Herr, der Lotte gern einmal zeichnen möchte, wenn sie Zeit hat.

Herr Gabele öffnet. »Oh, die Luise!«

»Heute hab ich Zeit«, sagt sie.

»Einen Augenblick«, ruft er, rast in sein Arbeitszimmer, nimmt ein großes Tuch vom Sofa und hängt damit ein auf der Staffelei stehendes Bild zu. Er malt gerade an einer klassischen Szene aus der Antike. Dergleichen eignet sich nicht immer für Kinder.

Dann führt er die Kleine herein, setzt sie in einen Sessel, nimmt einen Block zur Hand und beginnt zu skizzieren. »Du spielst ja gar nicht mehr so oft Klavier!« meint er dabei.

»Hat es Sie sehr gestört?«

»Kein Gedanke! Im Gegenteil! Es fehlt mir geradezu!«

»Vati hat nicht mehr so viel Zeit«, sagt sie ernst. »Er komponiert an einer Oper. Es wird eine Kinderoper.«

Das freut Herrn Gabele zu hören. Dann wird er ärgerlich. »Diese Fenster!« schimpft er. »Rein gar nix kann man sehen. Ein Atelier müßte man haben!«

»Warum mieten Sie sich denn dann keines, Herr Gabele?«

»Weil's keine zu mieten gibt! Ateliers sind selten!«

Nach einer Pause sagt das Kind: »Vati hat ein Atelier. Mit großen Fenstern. Und Licht von oben.«

Herr Gabele brummt.

»Am Kärntner Ring«, ergänzt Lotte. Und nach einer

105

neuen Pause: »Zum Komponieren braucht man doch gar nicht so viel Licht wie zum Malen, nicht?«

»Nein«, antwortet Herr Gabele.

Lotte tastet sich nun noch einen Schritt weiter vor. Sie sagt nachdenklich: »Eigentlich könnte doch Vati mit Ihnen tauschen! Dann hätten Sie größere Fenster und mehr Licht zum Malen. Und Vati hätte seine Wohnung zum Komponieren hier, gleich neben der anderen Wohnung!« Der Gedanke scheint sie enorm zu freuen. »Wäre das nicht sehr praktisch?«

Herr Gabele könnte allerlei gegen Lottes Gedankengänge einwenden. Weil das aber nicht angeht, erklärt er lächelnd: »Das wär in der Tat sehr praktisch. Es fragt sich nur, ob der Papa der gleichen Meinung ist.«

Lotte nickt. »Ich werd ihn fragen! Gleich nachher!«

Herr Palfy sitzt in seinem Atelier und hat Besuch. Damenbesuch. Fräulein Irene Gerlach hat »zufällig« ganz in der Nähe Besorgungen machen müssen, und da hat sie sich gedacht: ›Springst mal g'schwind zum Ludwig hinauf, gelt?‹

Der Ludwig hat die Partiturseiten, an denen er kritzelt, beiseite geschoben und plauscht mit der Irene. Erst ärgert er sich ein Weilchen, denn er kann es für den

Tod nicht leiden, wenn man ihn unangemeldet überfällt und bei der Arbeit stört. Aber allmählich siegt doch das Wohlbehagen, mit dieser so schönen Dame zusammenzusitzen und halb aus Versehen ihre Hand zu streicheln.

Irene Gerlach weiß, was sie will. Sie will Herrn Palfy heiraten. Er ist berühmt. Er gefällt ihr. Sie gefällt ihm. Allzugroße Schwierigkeiten stehen also nicht im Wege. Zwar weiß er noch nichts von seinem künftigen Glück. Aber sie wird es ihm mit der Zeit und schonend beibringen. Schließlich wird er sich einbilden, daß er selber auf die Idee mit der Heirat verfallen sei.

Ein Hindernis ist allerdings noch da: das narrische Kind! Aber wenn Irene dem Ludwig erst ein, zwei Babys geschenkt hat, dann wird sich alles wunschgemäß einrenken. Irene Gerlach wird doch wohl noch mit diesem ernsten, scheuen Fratz fertigwerden!

Es klingelt.

Ludwig öffnet.

Und wer steht in der Tür? Der ernste, scheue Fratz! Hat einen Strauß in der Hand, knickst und sagt: »Grüß Gott, Vati! Ich bring dir frische Blumen!« Dann spaziert sie ins Atelier, knickst kurz vor dem Besuch, nimmt eine Vase und verschwindet in der Küche.

Irene lächelt maliziös. »Wenn man dich und deine

Tochter sieht, hat man den Eindruck, daß du unter ihrem Pantoffel stehst.«

Der Herr Kapellmeister lacht verlegen. »Sie hat neuerdings eine so dezidierte Art zu handeln, und außerdem ist das, was sie tut, so goldrichtig, — da kannst nix machen!«

Während Fräulein Gerlach mit den schönen Schultern zuckt, erscheint Lotte wieder auf der Bildfläche. Erst stellt sie die frischen Blumen auf den Tisch. Dann bringt sie Geschirr herbei und sagt, indessen sie die Tassen verteilt, zu Vati: »Ich koch nur rasch einen Kaffee. Wir müssen doch deinem Besuch etwas anbieten.«

Vati und sein Besuch schauen perplex hinter ihr drein. Und ich hab dieses Kind für scheu gehalten! denkt Fräulein Gerlach. Oje, war ich blöd!

Nach kurzer Zeit taucht Lotte mit Kaffee, Zucker und Sahne auf, schenkt — ganz Hausfrau — ein, fragt, ob Zucker gefällig sei, schiebt dem Besuch die Sahne hin, setzt sich dann neben ihren Vati und meint freundlich lächelnd: »Ich trinke zur Gesellschaft einen Schluck mit.«

Der Papa schenkt ihr Kaffee ein und fragt chevaleresk: »Wieviel Sahne, meine Dame?«

Das Kind kichert. »Halb und halb, mein Herr.«

»Bitte sehr, meine Dame!«

»Vielen Dank, mein Herr!«

Man trinkt. Man schweigt. Schließlich eröffnet Lotte die Unterhaltung. »Ich war eben bei Herrn Gabele.«

»Hat er dich gezeichnet?« fragt der Vater.

»Nur ein bißchen«, meint das Kind. Noch einen Schluck Kaffee, — dann fügt es harmlos hinzu: »Er hat zu wenig Licht. Vor allem brauchte er welches von oben. So wie hier...«

»Dann soll er sich halt ein Atelier mit Oberlicht mieten«, bemerkt der Herr Kapellmeister sehr treffend und ahnt nicht, daß er genau dahin steuert, wohin Lotte ihn haben will.

»Das hab ich ihm auch schon gesagt«, erklärt sie ruhig. »Aber sie sind alle vermietet, die Ateliers.«

›So ein kleines Biest!‹ denkt Fräulein Gerlach. Denn sie, auch eine Tochter Evas, weiß nun schon, was das Kind im Schilde führt. Und richtig...

»Zum Komponieren braucht man eigentlich kein Oberlicht, Vati. Nicht?«

»Nein, eigentlich nicht.«

Das Kind holt tief Atem, blickt angestrengt auf seine Schürze und fragt, als fiele ihm diese Frage eben erst ein: »Wenn du nun mit Herrn Gabele tauschtest, Vati?« Gott sei Dank, jetzt ist es heraus! Lotte blickt den Papa von schräg unten an. Ihre Augen bitten furchtsam.

Der Vater schaut halb ärgerlich, halb belustigt von dem kleinen Mädchen zu der eleganten Dame, die gerade noch Zeit hat, ein sanft ironisches Lächeln in ihr Gesicht zu zaubern.

»Dann hätte der Herr Gabele ein Atelier«, sagt das Kind, und die Stimme zittert ein wenig. »Mit soviel Licht, wie er braucht. Und du wohntest direkt neben uns. Neben Resi und mir.« Lottes Augen liegen, wenn man sich so ausdrücken darf, vor des Vaters Blick auf den Knien. »Dann bist du allein, genau wie hier. Und wenn du nicht allein sein willst, kommst du bloß über den Flur und bist da. Du brauchst nicht einmal einen Hut aufzusetzen. — Und mittags können wir daheim essen. — Wenn das Essen fertig ist, klingeln wir dreimal an deiner Tür. — Wir kochen immer, was du willst. — Auch Geselchtes. — Und wenn du Klavier spielst, hören wir's durch die Wand...« Die Kinderstimme klingt immer zögernder. Sie erstirbt.

Fräulein Gerlach steht abrupt auf. Sie muß schnellstens heim. Wie die Zeit vergeht! Es waren ja aber auch sooo interessante Gespräche!

Herr Kapellmeister Palfy bringt seinen Gast hinaus. Er küßt die duftende Frauenhand. »Auf heut abend also«, sagt er.

»Vielleicht hast du keine Zeit?«

»Wieso, Liebling?«

Sie lächelt. »Vielleicht ziehst du gerade um!«

Er lacht.

»Lache nicht zu früh! Wie ich deine Tochter kenne, hat sie bereits die Möbelpacker bestellt!« Wütend rauscht die Dame treppab.

Als der Kapellmeister ins Atelier zurückkommt, ist Lotte schon dabei, das Kaffeegeschirr abzuwaschen. Er schlägt ein paar Takte auf dem Flügel an. Er geht mit großen Schritten in dem Raum auf und ab. Er starrt auf die bekritzelten Partiturseiten.

Lotte gibt sich große Mühe, nicht mit den Tellern und Tassen zu klappern. — Als sie alles abgetrocknet und in den Schrank zurückgestellt hat, setzt sie ihr Hütchen auf und geht leise ins Atelier hinüber.

»Grüß Gott, Vati...«

»Grüß Gott.«

»Kommst du zum Abendessen?«

»Nein, heute nicht.«

Das Kind nickt langsam und hält ihm zum Abschied schüchtern die Hand hin.

»Hör, Luise — ich hab's nicht gern, wenn sich andere Leute für mich den Kopf zerbrechen, auch meine Tochter nicht! Ich weiß selber, was für mich am besten ist.«

»Natürlich, Vati«, sagt sie ruhig und leise. Noch immer hält sie die Hand zum Abschied ausgestreckt.

Er drückt sie schließlich doch und sieht dabei, daß dem Kind Tränen an den Wimpern hängen. Ein Vater muß streng sein können. Also tut er, als sähe er nichts Auffälliges, sondern nickt kurz und setzt sich an den Flügel.

Lotte geht schnell zur Tür, öffnet sie behutsam — und ist verschwunden.

Der Herr Kapellmeister fährt sich durchs Haar. Kindertränen, auch das noch! Dabei soll man nun eine Kinderoper komponieren! Es ist zum Teufelhaschen! Es ist nicht zum Ansehen, wenn so einem kleinen Geschöpf Tränen in den Augen stehen! Sie hingen in den langen Wimpern wie Tautropfen an dünnen Grashalmen...

Seine Hände schlagen einige Töne an. Er neigt lauschend den Kopf. Er spielt die Tonfolge noch einmal. Er wiederholt sie in der Sequenz. Es ist die Mollvariation eines fröhlichen Kinderlieds aus seiner Oper. Er ändert den Rhythmus. Er arbeitet.

Wozu doch Kindertränen gut sind! Ja, so ein Künstler ist fein heraus! Gleich wird er Notenpapier nehmen und Noten malen. Und zum Schluß wird er sich hochbefriedigt zurücklehnen und die Hände reiben, weil ihm ein so wunderbar trauriges Lied in c-moll gelungen ist.

(Ist denn weit und breit kein Riese oder sonst jemand da, der ihm ab und zu die Hosen straffzieht?)

Wieder sind Wochen vergangen. Fräulein Irene Gerlach hat den Auftritt im Atelier nicht vergessen. Sie hat den Vorschlag des Kindes, der Vater möge die Wohnung am Ring mit der des Malers Gabele tauschen, als das aufgefaßt, was es war: als Kampfansage! Eine richtige Frau — und Irene Gerlach ist, auch wenn Lotte sie nicht leiden mag, eine richtige Frau —, die läßt sich nicht lange bitten. Sie kennt ihre Waffen. Sie weiß, sie zu gebrauchen. Sie ist sich ihrer Wirkung bewußt. Alle ihre Pfeile hat sie auf die zuckende Zielscheibe, das Künstlerherz des Kapellmeisters, abgeschossen. Alle Pfeile haben ins Schwarze getroffen. Allesamt sitzen sie nun mit ihren Widerhaken im Herzen des Mannes, des geliebten Feindes, fest. Er weiß sich keinen Rat mehr.

»Ich will, daß du meine Frau wirst«, sagt er. Es klingt wie ein zorniger Befehl.

Sie streichelt sein Haar, lächelt und meint spöttisch: »Dann werde ich morgen mein bestes Kleid anziehen, Liebling, und bei deiner Tochter um deine Hand anhalten.«

Wieder sitzt ein Pfeil in seinem Herzen. Und diesmal ist der Pfeil vergiftet.

Herr Gabele zeichnet Lotte. Plötzlich läßt er Block und Bleistift sinken und sagt: »Was hast denn heut, Luiserl? Du schaust ja aus wie sechs Tag' Regenwetter!«

Das Kind atmet schwer, als läge ihm ein Fuder Steine auf der Brust. »Ach, es ist nichts weiter.«

»Hängt's mit der Schule zusammen?«

Sie schüttelt den Kopf. »Das wär nicht so schlimm.«

Herr Gabele legt den Block weg. »Weißt was, du kleine Trauerweide? Wir wollen für heute Schluß machen!« Er steht auf. »Geh ein Stück spazieren. Das bringt einen auf andere Gedanken!«

»Oder vielleicht spiel ich ein bißchen auf dem Klavier?«

»Noch besser!« sagt er. »Das hör ich durch die Wand. Da hab ich auch was davon.«

Sie gibt ihm die Hand, knickst und geht.

Er schaut gedankenvoll hinter der kleinen Person her. Er weiß, wie schwer Kummer auf ein Kinderherz drücken kann. Er war selber einmal ein Kind und hat es, im Gegensatz zu den meisten Erwachsenen, nicht vergessen.

Als Klaviergeklimper aus der Nachbarwohnung herüberklingt, nickt er zustimmend und beginnt, die Melodie mitzupfeifen.

Dann zieht er mit einem Ruck die Decke von der

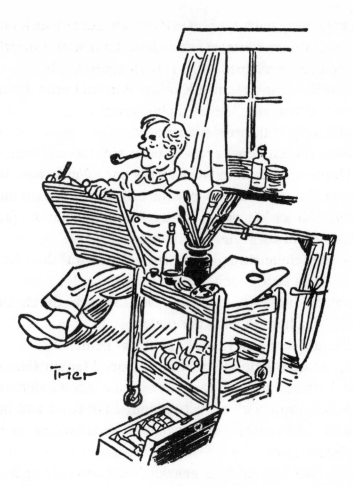

Staffelei, nimmt Palette und Pinsel zur Hand, betrachtet seine Arbeit mit zusammengekniffenen Augen und geht ans Werk.

Herr Ludwig Palfy kommt in die Rotenturmstraße. Die Stufen tun, als wären sie doppelt so hoch wie sonst. Er hängt den Mantel und den Hut an einen Garderobenhaken. Das Luiserl spielt Klavier? Nun, sie wird abbrechen und ihm eine Weile zuhören müssen. Er zieht das Jackett straff, als ob er beim Intendanten einen Besuch machte. Dann öffnet er die Zimmertür.

Das Kind schaut von den Tasten hoch und lächelt ihn an. »Vati? Wie schön!« Sie springt vom Klavierschemel. »Soll ich dir einen Kaffee machen?« Sie will geschäftig in die Küche. Er hält sie fest. »Danke, nein!« sagt er. »Ich muß mit dir sprechen. Setz dich!«

Sie setzt sich in den großen Ohrensessel, in dem sie klein wie eine Puppe aussieht, streicht sich den karierten Rock glatt und blickt erwartungsvoll zu ihm hoch.

Er räuspert sich nervös, geht ein paar Schritte auf und ab und bleibt schließlich vor dem Ohrensessel stehen. »Also, Luiserl«, fängt er an, »es handelt sich um eine wichtige und ernste Angelegenheit. Seit deine Mutter nicht mehr — nicht mehr da ist, bin ich allein gewesen. Sieben Jahre lang. Natürlich nicht völlig allein, ich hab ja dich gehabt. Und ich hab dich ja noch!«

Das Kind schaut ihn mit großen Augen an.

Wie blöd ich red! denkt der Mann. Er hat eine ausge-

116

wachsene Wut auf sich. »Kurz und gut«, sagt er. »Ich will nicht länger allein sein. Es wird sich etwas ändern. In meinem und dadurch auch in deinem Leben.«

Ganz still ist's im Zimmer.

Eine Fliege versucht mit Gesumm, durch die geschlossene Fensterscheibe ins Freie zu fliegen. (Jeder Mensch könnte ihr erzählen, daß das völlig aussichtslos ist und daß sie sich bloß ihren Insektenschädel einrennen wird! Die Fliegen sind eben dumm, aber die Menschen, die sind gescheit, was?)

»Ich habe mich entschlossen, wieder zu heiraten!«

»Nein!« sagt das Kind laut. Es klingt wie ein Schrei. Dann wiederholt es leise: »Bitte, nein, Vati, bitte nein, bitte, bitte nein!«

»Du kennst Fräulein Gerlach bereits. Sie hat dich sehr gern. Und sie wird dir eine gute Mutter sein. Auf die Dauer wäre es sowieso schwierig und verfehlt, dich in einem frauenlosen Haushalt aufwachsen zu lassen.« (Ist er nicht rührend? Es fehlte nur noch, daß er behauptet, er wolle lediglich heiraten, damit das Kind endlich wieder eine Mutter hat!)

Lotte schüttelt in einem fort den Kopf und bewegt dazu lautlos die Lippen. Wie ein Automat, der keine Ruhe findet. Es sieht beängstigend aus.

Deshalb blickt der Vater rasch wieder weg und sagt:

»Du wirst dich schneller, als du glaubst, in den neuen, ungewohnten Zustand finden. Böse Stiefmütter kommen nur noch in Märchen vor. Also, Luiserl, ich weiß, daß ich mich auf dich verlassen kann. Du bist der vernünftigste kleine Kerl, den es gibt!« Er schaut auf die Uhr. »So. Jetzt muß ich gehen. Mit dem Luser den Rigoletto korrepetieren.« Und schon ist er aus der Tür.

Das Kind sitzt wie betäubt.

Herr Palfy drückt sich an der Garderobe den Hut aufs Künstlerhaupt. Da schreit es drin im Zimmer: »Vati!« Es klingt, als ob jemand ertränke.

›In einem Wohnzimmer ertrinkt man nicht‹, denkt Herr Palfy und entweicht. Er hat es sehr eilig. Denn er muß ja mit dem Kammersänger Luser arbeiten!

Lotte ist aus ihrer Betäubung erwacht. Auch in der Verzweiflung bewahrt und bewährt sich ihr praktischer Sinn. Was ist zu tun? Denn daß etwas getan werden muß, steht fest. Niemals darf Vati eine andere Frau heiraten, niemals! Er *hat* ja eine Frau! Auch wenn sie nicht mehr bei ihm ist. Niemals wird das Kind eine neue Mutter dulden, niemals! Sie *hat* ja ihre Mutter, ihre über alles geliebte Mutti!

Mutti könnte vielleicht helfen. Aber sie darf es nicht wissen. Sie darf das ganze große Geheimnis der beiden

Kinder nicht wissen, und erst recht nicht, daß der Vater dieses Fräulein Gerlach zur Frau nehmen will!

So bleibt nur noch ein Weg. Und diesen Weg muß Lottchen selber gehen.

Sie holt das Telefonbuch. Sie blättert mit zittrigen Fingern. »Gerlach.« Es gibt nicht sehr viele Gerlachs. »Gerlach, Stefan. Gen. Dir. der Wiener Gaststätten G.m.b.H., Kobenzlallee 43.« Vati hat neulich erzählt, daß Fräulein Gerlachs Vater Restaurants und Hotels gehören, auch das Imperial, wo sie täglich mittagessen. »Kobenzlallee 43.«

Nachdem Resi erklärt hat, wie man zur Kobenzlallee fahren muß, setzt sich das Kind den Hut auf, zieht den Mantel an und sagt: »Ich gehe jetzt weg.«

»Was willst du denn in der Kobenzlallee?« fragt Resi neugierig.

»Ich muß wen sprechen.«

»Komm aber bald wieder!«

Das Kind nickt und macht sich auf den Weg.

Ein Stubenmädchen tritt in Irene Gerlachs elegantes Zimmer und lächelt. »Ein Kind möcht Sie sprechen, gnädiges Fräulein. Ein kleines Mäderl.«

Das gnädige Fräulein hat sich gerade die Fingernägel frisch gelackt und schwenkt die Hände, damit der Lack

119

rasch trockne, durch die Luft. »Ein kleines Mädchen?«
»Luise Palfy heißt's.«

»Ah!« sagt das gnädige Fräulein gedehnt. »Führ sie herauf!«

Das Stubenmädchen verschwindet. Die junge Dame erhebt sich, wirft einen Blick in den Spiegel und muß über ihr angespannt ernstes Gesicht lächeln. ›Luise Millerin kommt zu Lady Milford‹, denkt sie amüsiert, denn sie ist ziemlich gebildet.

Als das Kind ins Zimmer tritt, befiehlt Fräulein Gerlach dem Stubenmädchen: »Mach uns eine Schokolade! Und bring von den gefüllten Waffeln!« Dann wendet sie sich liebreich ihrem Gast zu. »Wie nett, daß du mich besuchen kommst! Da sieht man's, wie unaufmerksam ich bin. Ich hätte dich längst schon einmal einladen sollen! Willst du nicht ablegen?«

»Danke«, sagt das Kind. »Ich will nicht lange bleiben.«

»So?« Irene Gerlach verliert ihre freundlich gönnerhafte Miene keineswegs. »Aber zum Hinsetzen wirst du hoffentlich Zeit haben?«

Das Kind schiebt sich auf eine Stuhlkante und wendet kein Auge von der Dame.

Diese fängt an, die Situation unhaltbar albern zu finden. Doch sie beherrscht sich. Es steht immerhin einiges auf dem Spiele. Auf dem Spiele, das sie gewinnen will und gewinnen wird. »Bist du hier zufällig vorbeigekommen?«

»Nein, ich muß Ihnen etwas sagen!«

Irene Gerlach lächelt bezaubernd. »Ich bin ganz Ohr. Worum handelt sich's denn?«

Das Kind rutscht vom Stuhl, steht nun mitten im Zimmer und erklärt:

»Vati hat gesagt, daß Sie ihn heiraten wollen.«

»Hat er das wirklich gesagt?« Fräulein Gerlach lacht glockenhell. »Hat er nicht eher gesagt, daß er mich heiraten will? Aber das ist wohl Nebensache. Also: Ja, Luiserl, dein Papa und ich, wir wollen uns heiraten. Und du und ich werden gewiß sehr gut miteinander zurechtkommen. Davon bin ich fest überzeugt. Du nicht? Paß auf — wenn wir erst einige Zeit zusammen gewohnt und gelebt haben, werden wir die besten Freundinnen geworden sein! Wir wollen uns beide rechte Mühe geben. Meine Hand darauf!«

Das Kind weicht zurück und sagt ernst: »Sie dürfen Vati nicht heiraten!«

Die Kleine geht entschieden ziemlich weit. »Und warum nicht?«

»Weil Sie es nicht dürfen!«

»Keine sehr befriedigende Erklärung«, meint das

Fräulein scharf. Mit Güte kommt man hier ja doch nicht weiter. »Du willst mir verbieten, die Frau deines Vaters zu werden?«

»Ja!«

»Das ist wirklich allerhand!« Die junge Dame ist aufgebracht. »Ich muß dich bitten, jetzt nach Hause zu gehen. Ob ich deinem Vater von diesem merkwürdigen Besuch erzähle, werde ich mir noch überlegen. Wenn ich nichts erzählen sollte, dann nur, um unserer späteren Freundschaft, an die ich noch immer glauben möchte, nichts Ernstliches in den Weg zu legen. Auf Wiedersehen!«

An der Tür wendet sich das Kind noch einmal um und sagt: »Lassen Sie uns so, wie wir sind! Bitte, bitte...« Dann ist Fräulein Gerlach allein.

Hier gibt es nur eins. Die Heirat muß beschleunigt werden. Und dann ist dafür zu sorgen, daß das Kind in ein Internat gesteckt wird. Umgehend! Hier kann nur strengste Erziehung durch fremde Hand noch helfen.

»Was wollen Sie denn?« Das Stubenmädchen steht mit einem Tablett da. »Ich bring die Schokolade. Und die gefüllten Waffeln. Wo ist denn das kleine Mädchen?«

»Scheren Sie sich zum Teufel!«

Der Herr Kapellmeister kommt, da er in der Oper dirigieren muß, nicht zum Abendbrot. Resi leistet dem Kind, wie in solchen Fällen immer, beim Essen Gesellschaft.

»Du ißt ja heut gar nix«, bemerkt die Resi vorwurfsvoll. »Und ausschauen tust wie ein Geist, reinweg zum Fürchten. Was hast denn?«

Lotte schüttelt den Kopf und schweigt.

Die Haushälterin ergreift die Kinderhand und läßt sie erschrocken fallen. »Du hast ja Fieber! Gleich gehst ins Bett!« Dann trägt sie, ächzend und schnaufend, das völlig apathische Geschöpf ins Kinderzimmer, zieht ihm die Kleider vom Leib und legt es ins Bett.

»Nichts dem Vati erzählen!« murmelt die Kleine. Ihre Zähne klappern. Resi türmt Kissen und Betten übereinander. Dann rennt sie zum Telefon und ruft den Herrn Hofrat Strobl an.

Der alte Herr verspricht, sofort zu kommen. Er ist genauso aufgeregt wie die Resi.

Sie ruft in der Staatsoper an. »Gut is'!« antwortet man ihr. »In der Pause werden wir's dem Herrn Kapellmeister ausrichten.«

Resi rast wieder ins Schlafzimmer. Das Kind schlägt um sich und stammelt wirres, unverständliches Zeug. Die Decken, Kissen und Betten liegen am Boden.

Wenn bloß der Herr Hofrat käme! Was soll man machen? Umschläge? Aber was für welche? Kalte? Heiße? Nasse? Trockene?

In der Pause sitzt der befrackte Kapellmeister Palfy in der Garderobe der Sopranistin. Sie trinken einen Schluck Wein und fachsimpeln. Die Leute vom Theater reden immer vom Theater. Das ist nun einmal so. Da klopft es. »Herein!«

Der Inspizient tritt ein. »Endlich find ich Sie, Herr Professor!« ruft der alte zapplige Mann. »Man hat aus der Rotenturmstraße angeläutet. Das Fräulein Tochter ist urplötzlich krank geworden. Der Herr Hofrat Strobl wurde sofort benachrichtigt und dürfte bereits am Krankenlager eingetroffen sein.«

Der Herr Kapellmeister sieht blaß aus. »Dank dir schön, Herlitschka«, sagt er leise. Der Inspizient geht.

»Hoffentlich ist es nichts Schlimmes«, meint die Sängerin. »Hat die Kleine schon die Masern gehabt?«

»Nein«, sagt er und steht auf. »Entschuldige, Mizzi!« Als die Tür hinter ihm zugefallen ist, kommt er ins Rennen.

Er telefoniert. »Hallo, Irene!«

»Ja, Liebling? Ist denn schon Schluß? Ich bin noch lange nicht ausgehfertig!«

Er berichtet hastig, was er eben gehört hat. Dann sagt er: »Ich fürchte, wir können uns heute nicht sehen!«

»Natürlich nicht. Hoffentlich ist es nichts Schlimmes. Hat die Kleine schon die Masern gehabt?«

»Nein«, antwortet er ungeduldig. »Ich rufe dich morgen früh wieder an.« Dann hängt er ein.

Ein Signal ertönt. Die Pause ist zu Ende. Die Oper und das Leben gehen weiter.

Endlich ist die Oper aus! Der Kapellmeister rast in der Rotenturmstraße die Stufen hoch. Resi öffnet ihm. Sie hat noch den Hut auf, weil sie in der Nachtapotheke war.

Der Hofrat sitzt am Bett.

»Wie geht's ihr denn?« fragt der Vater flüsternd.

»Nicht gut«, antwortet der Hofrat. »Aber Sie können ruhig laut sprechen. Ich hab ihr eine Spritze gegeben.«

Lottchen liegt hochrot und schwer atmend in den Kissen. Sie hat das Gesicht schmerzlich verzogen, als tue ihr der künstliche Schlaf, zu dem sie der alte Arzt gezwungen hat, sehr weh.

»Masern?«

»Keine Spur«, brummt der Hofrat.

Die Resi kommt ins Zimmer und schnüffelt Tränen hinunter.

»Nun nehmen Sie schon endlich den Hut ab!« sagt der Kapellmeister nervös.

»Ach ja, gewiß! Entschuldigen S'!« Sie setzt den Hut ab und behält ihn in der Hand.

Der Hofrat schaut die beiden fragend an. »Das Kind macht offenbar eine schwere seelische Krise durch«, meint er. »Wissen Sie davon? Nein? Haben Sie wenigstens eine Vermutung?«

Resi sagt: »Ich weiß freilich nicht, ob's damit etwas zu schaffen hat, aber... Heut nachmittag ist sie ausgegangen. Weil sie wen sprechen müßt'! Und eh sie ging, hat sie g'fragt, wie sie am besten zur Kobenzlallee käme.«

»Zur Kobenzlallee?« fragt der Hofrat und schaut zu dem Kapellmeister hin.

Palfy geht rasch nach nebenan und telefoniert. »War Luise heute nachmittag bei dir?«

»Ja«, sagt eine weibliche Stimme. »Aber wieso erzählt sie dir das?«

Er gibt darauf keine Antwort, sondern fragt weiter: »Und was wollte sie?«

Fräulein Gerlach lacht ärgerlich. »Das laß dir nur auch von ihr erzählen!«

»Antworte bitte!«

Ein Glück, daß sie sein Gesicht nicht sehen kann!

»Wenn man's genau nimmt, kam sie, um mir zu verbieten, deine Frau zu werden!« erwidert sie gereizt.

Er murmelt etwas und legt den Hörer auf.

»Was fehlt ihr denn?« fragt Fräulein Gerlach. Dann merkt sie, daß das Gespräch getrennt ist. »So ein kleines Biest«, sagt sie halblaut. »Kämpft mit allen Mitteln! Legt sich hin und spielt krank!«

Der Hofrat verabschiedet sich und gibt noch einige Anweisungen. Der Kapellmeister hält ihn an der Tür zurück. »Was fehlt dem Kind?«

»Nervenfieber. — Ich komme morgen in der Früh wieder vorbei. Gute Nacht wünsch ich.«

Der Kapellmeister geht ins Kinderzimmer, setzt sich neben das Bett und sagt zu Resi: »Ich brauch Sie nicht mehr. Schlafen Sie gut!«

»Aber es ist doch besser...«

Er schaut sie an.

Sie geht. Sie hat den Hut noch immer in der Hand.

Er streichelt das kleine heiße Gesicht. Das Kind erschrickt im Fieberschlaf und wirft sich wild zur Seite.

Der Vater sieht sich im Zimmer um. Der Schulranzen liegt fertig gepackt auf dem Pultsitz. Daneben hockt Christl, die Puppe.

Er steht leise auf, holt die Puppe, löscht das Licht aus und setzt sich wieder ans Bett.

Nun sitzt er im Dunkeln und streichelt die Puppe, als wäre sie das Kind. Ein Kind, das vor seiner Hand nicht erschrickt.

Neuntes Kapitel

Herrn Eipeldauers Fotos stiften Verwirrung — Ja, ist es denn überhaupt Lotte? — Fräulein Linnekogel wird ins Vertrauen gezogen — Verbrannte Schweinsripperl und zerbrochenes Geschirr — Luise beichtet fast alles — Warum antwortet Lotte nicht mehr?

Der Chefredakteur der Münchner Illustrierten, Doktor Bernau, stöhnt auf. »Sauregurkenzeit, meine Liebe! Wo sollen wir ein aktuelles Titelbild hernehmen und nicht stehlen?«

Frau Körner, die an seinem Schreibtisch steht, sagt: »Neopreß hat Fotos von der neuen Meisterin im Brustschwimmen geschickt.«

»Ist sie hübsch?«

Die junge Frau lächelt. »Fürs Schwimmen reicht es.«

Doktor Bernau winkt entmutigt ab. Dann kramt er auf dem Tisch. »Ich hab doch da neulich von irgend so'nem ulkigen Dorflichtbildkünstler Fotos geschickt gekriegt! Zwillinge waren darauf!« Er wühlt zwischen Aktendeckeln und Zeitungen. »Paar reizende kleine Mädels! Zum Schießen ähnlich! He, wo seid ihr denn, ihr kleinen Frauenzimmer? So etwas gefällt dem Publikum immer. Eine gefällige Unterschrift dazu. Wenn schon nichts Aktuelles, dann eben ein Paar hübsche Zwillinge! Na endlich!« Er hat das Kuvert mit den Fotos entdeckt, schaut die Bilder an und nickt beifällig. »Wird gemacht, Frau Körner!« Er reicht ihr die Fotos.

Nach einiger Zeit blickt er schließlich hoch, weil seine Mitarbeiterin nichts sagt. »Nanu!« ruft er. »Körner! Sie stehen ja da wie Lots Weib als Salzsäule! Aufwachen! Oder ist Ihnen schlecht geworden?«

»Ein bißchen, Herr Doktor!« Ihre Stimme schwankt. »Es geht schon wieder.« Sie starrt auf die Fotos. Sie liest den Absender. »Josef Eipeldauer, Photograph, Seebühl am Bühlsee.«

In ihrem Kopf dreht sich alles.

»Suchen Sie das geeignetste Bild aus, und dichten Sie eine Unterschrift, daß unseren Lesern das Herz im Leibe lacht! Sie können das ja erstklassig!«

»Vielleicht sollten wir sie doch nicht bringen«, hört sie sich sagen.

»Und warum nicht, hochgeschätzte Kollegin?«

»Ich halte die Aufnahmen nicht für echt.«

»Zusammenkopiert, was?« Doktor Bernau lacht. »Da tun Sie dem Herrn Eipeldauer entschieden zu viel Ehre an. So raffiniert ist der nicht! Also, rasch ans Werk, liebwerte Dame! Die Unterschrift hat bis morgen Zeit. Ich kriege den Text noch zu Gesicht, bevor Sie ihn in Satz geben.« Er nickt und beugt sich über neue Arbeit.

Sie tastet sich hinüber in ihr Zimmer, sinkt in ihren Sessel, legt die Fotos vor sich hin und preßt die Hände an die Schläfen.

Die Gedanken fahren in ihrem Kopfe Karussell. Ihre beiden Kinder! Das Kinderheim! Die Ferien! Natürlich! Aber, warum hat Lottchen nichts davon erzählt? Warum hat Lottchen die Bilder nicht mitgebracht? Denn als sich die zwei fotografieren ließen, taten sie's doch nicht ohne Absicht. Sie werden entdeckt haben, daß sie Geschwister sind! Und dann haben sie sich vorgenommen, nichts darüber zu sagen. Es läßt sich verstehen, ja, freilich. Mein Gott, wie sie einander gleichen! Nicht einmal das vielgepriesene Mutterauge... Oh, ihr meine beiden, beiden, beiden Lieblinge!

Wenn jetzt Doktor Bernau den Kopf durch die Tür steckte, sähe er in ein von Glück und Schmerz überwältigtes Gesicht, über das Tränen strömen, Tränen, die das Herz ermatten, als flösse das Leben selber aus den Augen.

Glücklicherweise steckt Doktor Bernau den Kopf nicht durch die Tür.

131

Frau Körner ist bemüht, sich zusammenzureißen. Gerade jetzt heißt es, den Kopf oben zu behalten! Was soll geschehen? Was wird, was muß geschehen? Ich werde mit Lottchen reden!

Eiskalt durchfährt es die Mutter! Ein Gedanke schüttelt wie eine unsichtbare Hand ihren Körper hin und her!

Ist es denn Lotte, mit der sie sprechen will?

Frau Körner hat Fräulein Linnekogel, die Lehrerin, in der Wohnung aufgesucht.

»Das ist eine mehr als merkwürdige Frage, die Sie an mich richten«, sagt Fräulein Linnekogel. »Ob ich für möglich halte, daß Ihre Tochter nicht Ihre Tochter, sondern ein anderes Mädchen ist? Erlauben Sie, aber...«

»Nein, ich bin nicht verrückt«, versichert Frau Körner und legt eine Fotografie auf den Tisch.

Fräulein Linnekogel schaut das Bild an. Dann die Besucherin. Dann wieder das Bild.

»Ich habe zwei Töchter«, sagt die Besucherin leise. »Die zweite lebt bei meinem geschiedenen Mann in Wien. Das Bild kam mir vor etlichen Stunden durch Zufall in die Hände. Ich wußte nicht, daß sich die Kinder in den Ferien begegnet sind.«

Fräulein Linnekogel macht den Mund auf und zu wie ein Karpfen auf dem Ladentisch. Kopfschüttelnd schiebt sie die Fotografie von sich weg, als hätte sie Angst, gebissen zu werden. Endlich fragt sie: »Und die beiden haben bis dahin nichts voneinander gewußt?«

Die junge Frau schüttelt den Kopf. »Nein. Mein Mann und ich haben's damals so vereinbart, weil wir es für das beste hielten.«

»Und auch Sie haben von dem Mann und Ihrem anderen Kind nie wieder gehört?«

»Nie.«

»Ob er wieder geheiratet hat?«

»Ich weiß es nicht. Ich glaube kaum. Er meinte, er eigne sich nicht fürs Familienleben.«

»Eine höchst abenteuerliche Geschichte«, sagt die Lehrerin. »Sollten die Kinder wirklich auf die absurde Idee verfallen sein, einander auszutauschen? Wenn ich mir Lottchens charakteristische Wandlung vor Augen halte, und dann die Schrift, Frau Körner, die Schrift! Ich kann es kaum fassen! — Aber es würde manches erklären.«

Die Mutter nickt und schaut starr vor sich hin.

»Nehmen Sie mir meine Offenheit nicht übel«, meint Fräulein Linnekogel, »ich war nie verheiratet, ich bin

Erzieherin und habe keine Kinder — aber ich meine immer: Die Frauen, die wirklichen, verheirateten, nehmen ihre Männer zu wichtig! Dabei ist nur eines wesentlich: das Glück der Kinder!«

Frau Körner lächelt schmerzlich. »Glauben Sie, daß meine Kinder in einer langen, unglücklichen Ehe glücklicher geworden wären?«

Fräulein Linnekogel sagt nachdenklich: »Ich mache Ihnen keinen Vorwurf. Sie sind noch heute sehr jung. Sie waren, als Sie heirateten, ein halbes Kind. Sie werden Ihr Leben lang jünger sein, als ich jemals gewesen bin. Was für den einen richtig wäre, kann für den anderen falsch sein.«

Der Besuch steht auf.

»Und was werden Sie tun?«

»Wenn ich das wüßte!« sagt die junge Frau.

Luise steht vor einem Münchner Postschalter. »Nein«, sagt der Beamte für die postlagernden Sendungen bedauernd. »Nein, Fräulein Vergißmeinnicht, heut hätten wir wieder nix.«

Luise blickt ihn unschlüssig an. »Was kann das nur bedeuten?« murmelt sie bedrückt.

Der Beamte versucht zu scherzen. »Vielleicht ist aus dem Vergißmeinnicht ein ›Vergißmich‹ geworden?«

»Das ganz gewiß nicht«, sagt sie in sich gekehrt. »Ich frag morgen wieder nach.«

»Wenn ich darum bitten darf«, erwidert er lächelnd.

Frau Körner kommt heim. Brennende Neugier und kalte Angst streiten in ihrem Herzen, daß es ihr fast den Atem nimmt.

Das Kind hantiert eifrig in der Küche. Topfdeckel klappern. Im Tiegel schmort es.

»Heute riecht's aber gut!« sagt die Mutter. »Was gibt's denn, hm?«

»Schweinsripperl mit Sauerkraut und Salzkartoffeln«, ruft die Tochter stolz.

»Wie schnell du das Kochen gelernt hast!« sagt die Mutter, scheinbar ganz harmlos.

»Nicht wahr?« antwortet die Kleine fröhlich. »Ich hätt nie gedacht, daß ich ...« Sie bricht entsetzt ab und beißt sich auf die Lippen. Jetzt nur die Mutter nicht ansehen!

Diese lehnt an der Tür und ist bleich. Bleich wie die Wand.

Das Kind steht am offenen Küchenspind und hebt Geschirr heraus. Die Teller klappern wie bei einem Erdbeben.

Da öffnet die Mutter mühsam den Mund und sagt: »Luise!«

Krach!

Die Teller liegen in Scherben auf dem Boden. Luise hat's herumgerissen. Ihre Augen sind vor Schreck geweitet.

»Luise!« wiederholt die Frau sanft und öffnet die Arme weit.

»Mutti!«

Das Kind hängt der Mutter wie eine Ertrinkende am Hals und schluchzt leidenschaftlich.

Die Mutter sinkt in die Knie und streichelt Luise mit zitternden Händen. »Mein Kind, mein liebes Kind!«

Sie knien zwischen zerbrochenen Tellern. Auf dem Herd verschmoren die Schweinsripperln. Es riecht nach angebranntem Fleisch. Wasser zischt aus den Töpfen in die Gasflammen.

Die Frau und das kleine Mädchen merken von alledem nichts. Sie sind, wie es manchmal heißt und ganz selten vorkommt, nicht »von dieser Welt«.

Stunden sind vergangen. Luise hat gebeichtet. Und

die Mutter hat die Absolution erteilt. Es war eine lange wortreiche Beichte, und es war eine kurze, wortlose Freisprechung von allen begangenen Sünden — ein Blick, ein Kuß, mehr war nicht nötig.

Jetzt sitzen sie auf dem Sofa. Das Kind hat sich eng, ganz eng an die Mutter gekuschelt. Ach, ist das schön, endlich die Wahrheit gesagt zu haben! So leicht ist einem zumute, so federleicht! Man muß sich an der Mutter festklammern, damit man nicht plötzlich davonfliegt!

»Ihr seid mir schon zwei raffinierte Frauenzimmer!« meint die Mutter.

Luise kichert vor lauter Stolz. (*Ein* Geheimnis hat sie allerdings immer noch nicht preisgegeben: daß es da in Wien, wie Lotte ängstlich geschrieben hat, neuerdings ein gewisses Fräulein Gerlach gibt!)

Die Mutter seufzt.

Luise schaut sie besorgt an.

»Nun ja«, sagt die Mutter. »Ich denke darüber nach, was jetzt werden soll! Können wir tun, als sei nichts geschehen?«

Luise schüttelt entschieden den Kopf. »Lottchen hat sicher großes Heimweh nach dir. Und du doch auch nach ihr, nicht wahr, Mutti?«

Die Mutter nickt.

»Und ich ja auch«, gesteht das Kind. »Nach Lottchen und...«

»Und deinem Vater, gelt?«

Luise nickt. Eifrig und schüchtern zugleich. »Und wenn ich bloß wüßte, warum Lottchen nicht mehr schreibt?«

»Ja«, murmelt die Mutter. »Ich bin recht in Sorge.«

ZEHNTES KAPITEL

Ein Ferngespräch aus München — Das erlösende Wort — Nun kennt sich auch die Resi nicht mehr aus — Zwei Flugzeugplätze nach Wien — Peperl ist wie vom Donner gerührt — Wer an Türen horcht, kriegt Beulen — Der Herr Kapellmeister schläft außer Haus und bekommt unerwünschten Besuch

Lottchen liegt apathisch im Bett. Sie schläft. Sie schläft viel. »Schwäche«, hat Hofrat Strobl heute mittag gesagt. Der Herr Kapellmeister sitzt am Kinderbett und blickt ernst auf das kleine, schmale Gesicht hinunter. Er kommt seit Tagen nicht mehr aus dem Zimmer. Beim Dirigieren läßt er sich vertreten. Eine Bettstatt ist für ihn vom Boden heruntergeholt worden.

Nebenan läutet das Telefon.

Resi kommt auf Zehenspitzen ins Zimmer. »Ein Ferngespräch aus München!« flüstert sie. »Ob Sie sprechbereit sind!«

Er steht leise auf und bedeutet ihr, beim Kind zu bleiben, bis er zurück ist. Dann schleicht er ins Nebenzimmer. München? Wer kann das sein? Wahrscheinlich die Konzertdirektion Keller & Co. Ach, sie sollen ihn gefälligst in Ruhe lassen!

140

Er nimmt den Hörer und meldet sich. Die Verbindung wird hergestellt.

»Hier Palfy!«

»Hier Körner!« ruft eine weibliche Stimme aus München herüber.

»Was?« fragt er verblüfft. »Wer? Luiselotte?«

»Ja!« sagt die ferne Stimme. »Entschuldige, daß ich dich anrufe. Doch ich bin wegen des Kindes in Sorge. Es ist hoffentlich nicht krank?«

»Doch.« Er spricht leise. »Es *ist* krank!«

»Oh!« Die ferne Stimme klingt sehr erschrocken.

Herr Palfy fragt stirnrunzelnd: »Aber ich verstehe nicht, wieso du...«

»Wir hatten so eine Ahnung, ich und — Luise!«

»Luise?« Er lacht nervös. Dann lauscht er verwirrt. Lauscht immer verwirrter. Schüttelt den Kopf. Fährt sich aufgeregt durchs Haar.

Die ferne Frauenstimme berichtet hastig, was sich nun eben in solch fliegender Hast berichten läßt.

»Sprechen Sie noch?« erkundigt sich das Fräulein vom Amt.

»Ja, zum Donnerwetter!« Der Kapellmeister schreit es. Man kann sich ja das Durcheinander, das in ihm herrscht, einigermaßen vorstellen.

»Was fehlt denn dem Kind?« fragt die besorgte Stimme seiner geschiedenen Frau.

»Nervenfieber«, antwortet er. »Die Krisis sei überstanden, sagt der Arzt. Aber die körperliche und seelische Erschöpfung ist sehr groß.«

»Ein tüchtiger Arzt?«

»Aber gewiß! Hofrat Strobl. Er kennt Luise schon von klein auf.« Der Mann lacht irritiert. »Entschuldige, es ist ja Lotte! Er kennt sie also nicht!« Er seufzt.

Drüben in München seufzt eine Frau. — Zwei Erwachsene sind ratlos. Ihre Herzen und Zungen sind gelähmt. Und ihre Gehirne, scheint es, ihre Gehirne auch.

In dieses beklemmende, gefährliche Schweigen hinein klingt eine wilde Kinderstimme. »Vati! Lieber, lieber Vati!« hallt es aus der Ferne. »Hier ist Luise! Grüß dich Gott, Vati! Sollen wir nach Wien kommen? Ganz geschwind?«

Das erlösende Wort ist gesprochen. Die eisige Beklemmung der beiden Großen schmilzt wie unter einem Tauwind. »Grüß Gott, Luiserl!« ruft der Vater sehnsüchtig. »Das ist ein guter Gedanke!«

»Nicht wahr?« Das Kind lacht selig.

»Wann könnt ihr denn hier sein?« ruft er.

Nun ertönt wieder die Stimme der jungen Frau. »Ich werde mich gleich erkundigen, wann morgens der erste Zug fährt.«

»Nehmt doch ein Flugzeug!« schreit er. »Dann seid

142

ihr schneller hier!« — ›Wie kann ich nur so schreien!‹
denkt er. ›Das Kind soll doch schlafen!‹

Als er ins Kinderzimmer zurückkommt, räumt ihm
die Resi seinen angestammten Platz am Bett wieder ein
und will auf Zehenspitzen davon.

»Resi!« flüstert er.

Sie bleiben beide stehen.

»Morgen kommt meine Frau.«

»Ihre Frau?«

»Pst! Nicht so laut! Meine geschiedene Frau! Lottchens Mutter!«

»*Lottchens?*«

Er winkt lächelnd ab. Woher soll sie's denn wissen?
»Das Luiserl kommt auch mit!«

»Das — wieso? Da liegt's doch, das Luiserl!«

Er schüttelt den Kopf. »Nein, das ist der Zwilling.«

»Zwilling?« Die Familienverhältnisse des Herrn Kapellmeister wachsen der armen Person über den Kopf.

»Sorgen Sie dafür, daß wir zu essen haben! Über die
Schlafgelegenheiten sprechen wir noch.«

»O du mei!« murmelt sie, während sie aus der Tür
schleicht.

Der Vater betrachtet das erschöpft schlummernde
Kind, dessen Stirn feucht glänzt. Mit einem Tuch tupft
er sie behutsam trocken.

Das ist nun also die andere kleine Tochter! Sein Lottchen! Welche Tapferkeit und welche Willenskraft er-
füllten dieses Kind, bevor es von Krankheit und Verzweiflung überwältigt wurde! Vom Vater hat es diesen
Heldenmut wohl nicht. Von wem?

Von der Mutter?

Wieder läutet das Telefon.

Resi steckt den Kopf ins Zimmer. »Fräulein Gerlach!«

Herr Palfy schüttelt, ohne sich umzuwenden, ablehn-
end den Kopf.

Frau Körner läßt sich von Doktor Bernau wegen »drin-
gender Familienangelegenheiten« Urlaub geben. Sie
telefoniert mit dem Flugplatz und bekommt für morgen
früh auch richtig zwei Flugplätze. Dann wird ein Koffer
mit dem Notwendigsten gepackt.

Die Nacht scheint endlos, so kurz sie ist. Aber auch
endlos scheinende Nächte vergehen.

Als am nächsten Morgen der Herr Hofrat Strobl, von
Peperl begleitet, vor dem Haus in der Rotenturmstraße
ankommt, fährt gerade ein Taxi vor.

Ein kleines Mädchen steigt aus dem Auto — und
schon springt Peperl wie besessen an dem Kind hoch!

Er bellt, er dreht sich wie ein Kreisel, er wimmert vor Wonne, er springt wieder hoch!

»Grüß Gott, Peperl! Grüß Gott, Herr Hofrat!«

Der Herr Hofrat vergißt vor Verblüffung, den Gruß zu erwidern. Plötzlich springt er, wenn auch nicht ganz so graziös wie sein Peperl, auf das Kind zu und schreit: »Bist du denn völlig überg'schnappt? Scher dich ins Bett!«

Luise und der Hund sausen ins Haustor.

Eine junge Dame entsteigt dem Auto.

»Den Tod wird sich's holen, das Kind!« schreit der Herr Hofrat empört.

»Es ist nicht das Kind, das Sie meinen«, sagt die junge Dame freundlich. »Es ist die Schwester.«

Resi öffnet die Korridortür. Draußen steht der japsende Peperl mit einem Kind.

»Grüß Gott, Resi!« ruft das Kind und stürzt mit dem Hund ins Kinderzimmer.

Die Haushälterin schaut entgeistert hintendrein und schlägt ein Kreuz.

Dann ächzt der alte Hofrat die Stufen empor. Er kommt mit einer bildhübschen Frau, die einen Reisekoffer trägt.

»Wie geht's Lottchen?« fragt die junge Frau hastig.

»Etwas besser, glaub ich«, meint die Resi. »Darf ich Ihnen den Weg zeigen?«

»Danke, ich weiß Bescheid!« Und schon ist die Fremde im Kinderzimmer verschwunden.

»Wenn S' wieder einigermaßen zu sich gekommen sein werden«, sagt der Hofrat amüsiert, »helfen S' mir vielleicht aus dem Mantel. Aber lassen S' sich nur Zeit!«

Resi zuckt zusammen. »Bitte tausendmal um Vergebung«, stammelt sie.

»'s hat ja heute keine solche Eile mit meiner Visite«, erklärt er geduldig.

»Mutti!« flüstert Lotte. Ihre Augen hängen groß und glänzend an der Mutter, wie an einem Bild aus Traum und Zauber. Die junge Frau streichelt wortlos die heiße Kinderhand. Sie kniet am Bett nieder und nimmt das zitternde Geschöpf sanft in die Arme.

Luise schaut blitzschnell zum Vater hinüber, der am Fenster steht. Dann macht sie sich an Lottchens Kissen zu schaffen, klopft sie, wendet sie um, zupft ordnend am Bettuch. Jetzt ist *sie* das Hausmütterchen. Sie hat's ja inzwischen gelernt!

Der Herr Kapellmeister mustert die drei mit einem verstohlenen Seitenblick. Die Mutter mit ihren Kindern. *Seine* Kinder sind es ja natürlich auch! Und die junge Mutter war vor Jahren sogar einmal seine junge

146

Frau! Versunkene Tage, vergessene Stunden tauchen vor ihm auf. Lang, lang ist's her . . .

Peperl liegt wie vom Donner gerührt am Fußende des Bettes und blickt immer wieder von dem einen kleinen Mädchen zum anderen. Sogar die kleine schwarze gelackte Nasenspitze ruckt unschlüssig zwischen den beiden hin und her, als schwanke sie zweifelnd, was zu tun sei. Einen netten, kinderlieben Hund in solche Verlegenheit zu bringen! Da klopft es.

Die vier Menschen im Zimmer erwachen wie aus einem seltsamen Wachschlaf. Der Herr Hofrat tritt ein. Jovial und ein bißchen laut wie immer. Am Bett macht er halt. »Wie geht's dem Patienten?«

»Guut«, sagt Lottchen und lächelt ermattet.

»Haben wir heute endlich Appetit?« brummt er.

»Wenn Mutti kocht!« flüstert Lottchen.

Mutti nickt und geht ans Fenster. »Entschuldige, Ludwig, daß ich dir erst jetzt Guten Tag sage!«

Der Kapellmeister drückt ihr die Hand. »Ich dank dir vielmals, daß du gekommen bist.«

»Aber ich bitte dich! Das war doch selbstverständlich! Das Kind . . .«

»Freilich, das Kind«, erwidert er. »Trotzdem!«

»Du siehst aus, als hättest du seit Tagen nicht geschlafen«, meint sie zögernd.

147

»Ich werd's nachholen. Ich hatte Angst um... um das Kind!«

»Es wird bald wieder gesund sein«, sagt die junge Frau zuversichtlich. »Ich fühl's.«

Am Bett wird gewispert. Luise beugt sich dicht an Lottchens Ohr. »Mutti weiß nichts von Fräulein Gerlach. Wir dürfen's ihr auch nie sagen!«

Lottchen nickt ängstlich.

Der Herr Hofrat kann es nicht gehört haben, weil er das Fieberthermometer prüft. Obwohl er natürlich das Thermometer nicht gerade mit den Ohren inspiziert! Sollte er aber doch etwas gehört haben, so versteht er es jedenfalls vorbildlich, sich nicht das mindeste anmerken zu lassen. »Die Temperatur ist fast normal«, sagt er. »Du bist übern Berg! Herzlichen Glückwunsch, Luiserl!«

»Dank schön, Herr Hofrat«, antwortet die richtige Luise kichernd.

»Oder meinen Sie mich?« fragt Lottchen, vorsichtig lachend. Der Kopf tut dabei noch weh.

»Ihr seids mir ein paar Intriganten«, knurrt er, »ein paar ganz gefährliche! Sogar meinen Peperl habt ihr an der Nase herumgeführt!« Er streckt beide Hände aus und mit jeder seiner Pranken fährt er zärtlich über einen Mädchenkopf.

Dann hustet er energisch, steht auf und sagt: »Komm, Peperl, reiß dich von den zwei trügerischen Weibsbildern los!«

Peperl wedelt abschiednehmend mit dem Schwanz. Dann schmiegt er sich an die gewaltigen Hosenröhren des Hofrats, der soeben dem Herrn Kapellmeister Palfy erklärt: »Eine Mutter, das ist eine Medizin, die kann man nicht in der Apotheke holen!« Er wendet sich an die junge Frau. »Werden S' solang bleiben können, bis das Luiserl — ein' Schmarrn – bis das Lottchen, mein ich, wieder völlig beisamm' ist?«

»Ich werd wohl können, Herr Hofrat, und ich möcht schon!«

»Na also«, meint der alte Herr. »Der Herr Exgemahl wird sich halt drein fügen müssen.«

Palfy öffnet den Mund.

»Lassen S' nur«, sagt der Hofrat spöttisch. »Das Künstlerherz wird Ihnen natürlich bluten. Soviel Leut' in der Wohnung! Aber nur Geduld, — bald werden S' wieder hübsch allein sein.«

Er hat's heute in sich, der Hofrat! Die Tür drückt er so rasch auf, daß die Resi, die draußen horcht, am Kopf eine Beule kriegt. Sie hält sich den brummenden Schädel.

»Mit einem sauberen Messer drücken!« empfiehlt er,

jeder Zoll ein Arzt. »Ist schon gut. Der wertvolle Ratschlag kostet nix!«

Der Abend hat sich auf die Erde herabgesenkt. In Wien wie anderswo auch. Im Kinderzimmer ist es still. Luise schläft. Lotte schläft. Sie schlummert der Gesundung entgegen.

Frau Körner und der Kapellmeister haben bis vor wenigen Minuten im Nebenzimmer gesessen. Sie haben manches besprochen, und sie haben noch mehr beschwiegen. Dann ist er aufgestanden und hat gesagt: »So! Nun muß ich gehen!« Dabei ist er sich — übrigens mit Recht — etwas komisch erschienen. Wenn man bedenkt, daß im Nebenzimmer zwei neunjährige Mädchen schlafen, die man von der hübschen Frau hat, die vor einem steht, — und man selber muß wie ein abgeblitzter Tanzstundenherr davonschleichen! Aus der eigenen Wohnung! Wenn es noch, wie in den guten alten Zeiten, unsichtbare Hausgeister gäbe, — wie müßten die jetzt kichern!

Sie bringt ihn bis zur Korridortür.

Er zögert. »Falls es wieder schlimmer werden sollte, — ich bin drüben im Atelier.«

»Mach dir keine Sorgen!« sagt sie zuversichtlich. »Vergiß lieber nicht, daß du viel Schlaf nachzuholen hast.«

Er nickt. »Gute Nacht.«

»Gute Nacht.«

Während er langsam die Treppe hinabsteigt, ruft sie leise: »Ludwig!« Er dreht sich fragend um.

»Kommst du morgen zum Frühstück?«

»Ich komme!«

Als sie die Tür verschlossen und die Kette vorgehängt hat, bleibt sie noch eine Weile sinnend stehen. Er ist wirklich älter geworden. Fast sieht er schon wie ein richtiger Mann aus, ihr ehemaliger Mann!

Dann wirft sie den Kopf zurück und geht, den Schlaf ihrer und seiner Kinder mütterlich zu bewachen.

Eine Stunde später steigt, vor einem Haus am Kärntner Ring, eine junge, elegante Dame aus einem Auto und verhandelt mit dem mürrischen Portier.

»Der Herr Kapellmeister?« brummt er. »I woaß net, ob er droben ist!«

»Im Atelier ist Licht«, sagt sie. »Also ist er da! Hier!« Sie drückt ihm Geld in die Hand und eilt, an ihm vorbei, zur Stiege.

Er betrachtet den Geldschein und schlurft in seine Wohnung zurück.

»Du?« fragt Ludwig Palfy oben an der Tür.

»Erraten!« bemerkt Irene Gerlach bissig und tritt ins

Atelier. Sie setzt sich, zündet sich eine Zigarette an und mustert den Mann abwartend.

Er sagt nichts.

»Warum läßt du dich am Telefon verleugnen?« fragt sie. »Findest du das sehr geschmackvoll?«

»Ich hab mich nicht verleugnen lassen.«

»Sondern?«

»Ich war nicht fähig, mit dir zu sprechen. Mir war nicht danach zumute. Das Kind war schwer krank.«

»Aber jetzt geht es ihm wohl besser. Sonst wärst du doch in der Rotenturmstraße.«

Er nickt. »Ja, es geht ihm besser. Außerdem ist meine Frau drüben.«

»Wer?«

»Meine Frau. Meine geschiedene Frau. Sie kam heute morgen mit dem anderen Kind.«

»Mit dem *anderen* Kind?« echot die junge, elegante Frau.

»Ja, es sind Zwillinge. Erst war das Luiserl bei mir. Seit Ferienschluß dann das andere. Doch das hab ich gar nicht gemerkt. Ich weiß es erst seit gestern.«

Die Dame lacht böse. »Raffiniert eingefädelt von deiner Geschiedenen!«

»Sie weiß es auch erst seit gestern«, meint er ungeduldig.

Irene Gerlach verzieht ironisch die schön gemalten Lippen. »Die Situation ist nicht unpikant, gelt? In der einen Wohnung sitzt eine Frau, mit der du nicht mehr, und in der anderen eine, mit der du noch nicht verheiratet bist!«

Ihn packt der Ärger. »Es gibt noch viel mehr Wohnungen, wo Frauen sitzen, mit denen ich noch nicht verheiratet bin!«

»Oh!« Sie erhebt sich. »Witzig kannst du auch sein?«

»Entschuldige, Irene, ich bin nervös!«

»Entschuldige, Ludwig, ich auch!«

Bums! Die Tür ist zu, und Fräulein Gerlach ist gegangen!

Nachdem Herr Palfy einige Zeit auf die Tür gestarrt hat, wandert er zum Bösendorfer Flügel hinüber, blättert in den Noten zu seiner Kinderoper und setzt sich, ein Notenblatt herausgreifend, vor die Tasten.

Eine Zeitlang spielt er vom Blatt. Einen strengen, schlichten Kanon, in einer der alten Kirchentonarten. Dann moduliert er. Von Dorisch nach c-moll. Von c-moll nach Es-Dur. Und langsam, ganz langsam schält sich aus der Paraphrase eine neue Melodie heraus. Eine Melodie, so einfach und herzgewinnend, als ob zwei kleine Mädchen mit ihren hellen, reinen Kinderstimmen sie sängen. Auf einer Sommerwiese. An einem kühlen Gebirgssee, in dem sich der blaue Himmel spiegelt. Jener Himmel, der höher ist als aller Verstand, und dessen Sonne die Kreaturen wärmt und bescheint, ohne zwischen den Guten, den Bösen und den Lauen einen Unterschied zu machen.

ELFTES KAPITEL

Ein doppelter Geburtstag und ein einziger Geburtstags-
wunsch — Die Eltern ziehen sich zur Beratung zurück —
Daumen halten! — Gedränge am Schlüsselloch — Miß-
verständnisse und Einverständnis

Die Zeit, die, wie man weiß, Wunden heilt, heilt auch
Krankheiten. Lottchen ist wieder gesund. Sie trägt
auch wieder ihre Zöpfe und Zopfschleifen. Und Luise
hat wie einst ihre Locken und schüttelt sie nach Her-
zenslust.

Sie helfen der Mutti und der Resi beim Einkaufen
und in der Küche. Sie spielen gemeinsam im Kinderzimmer. Sie singen zusammen, während Lottchen oder
gar Vati am Klavier sitzt. Sie besuchen Herrn Gabele in
der Nachbarwohnung. Oder sie führen Peperl aus,
wenn der Herr Hofrat Sprechstunde hat. Der Hund hat
sich mit dem zwiefachen Luiserl abgefunden, indem er
seine Fähigkeit, kleine Mädchen gernzuhaben, zunächst verdoppelt und dann diese Zuneigung halbiert
hat. Man muß sich zu helfen wissen.

Und manchmal, ja, da schauen sich die Schwestern
ängstlich in die Augen. Was wird werden?

155

Am 14. Oktober haben die beiden Mädchen Geburtstag. Sie sitzen mit den Eltern im Kinderzimmer. Zwei Kerzenbäume brennen, jeder mit zehn Lichtern. Selbstgebackenes und dampfende Schokolade hat's gegeben. Vati hat einen wunderschönen »Geburtstagsmarsch für Zwillinge« gespielt. Nun dreht er sich auf dem Klavierschemel herum und fragt: »Warum haben wir euch eigentlich nichts schenken dürfen?«

Lottchen holt tief Atem und sagt: »Weil wir uns etwas wünschen wollen, was man nicht kaufen kann!«

»Was wünscht ihr euch denn?« fragt die Mutti.

Nun ist Luise an der Reihe, tief Luft zu holen. Dann

erklärt sie, zapplig vor Aufregung: »Lotte und ich wünschen uns von euch zum Geburtstag, daß wir von jetzt
ab immer zusammenbleiben dürfen!« Endlich ist es
heraus!

Die Eltern schweigen.

Lotte sagt ganz leise: »Dann braucht ihr uns auch nie
im Leben wieder etwas zu schenken! Zu keinem Geburtstag mehr. Und zu keinem Weihnachtsfest auf der
ganzen Welt!«

Die Eltern schweigen noch immer.

»Ihr könnt es doch wenigstens versuchen!« Luise hat Tränen in den Augen. »Wir werden bestimmt gut folgen. Noch viel mehr als jetzt. Und es wird überhaupt alles viel, viel schöner werden!«

Lotte nickt. »Das versprechen wir euch!«

»Mit großem Ehrenwort und allem«, fügt Luise hastig hinzu.

Der Vater steht vom Klaviersessel auf. »Ist es dir recht, Luiselotte, wenn wir nebenan ein paar Worte miteinander sprechen?«

»Ja, Ludwig«, erwidert seine geschiedene Frau. Und nun gehen die zwei ins Nebenzimmer. Die Tür schließt sich hinter ihnen.

»Daumen halten!« flüstert Luise aufgeregt. Vier kleine Daumen werden von vier kleinen Händen umklammert und gedrückt. Lotte bewegt tonlos die Lippen.

»Betest du?« fragt Luise.

Lotte nickt.

Da fängt auch Luise an, die Lippen zu bewegen. »Komm, Herr Jesus, sei unser Gast, und segne, was du uns bescheret hast!« murmelt sie, halblaut.

Lotte schüttelt unwillig die Zöpfe.

»Es paßt nicht«, flüstert Luise entmutigt. »Aber mir fällt nichts anderes ein. — Komm, Herr Jesus, sei unser Gast, und segne...«

»Wenn wir einmal von uns beiden gänzlich absehen«, sagt gerade Herr Palfy nebenan und schaut unentwegt auf den Fußboden, »so wäre es zweifellos das beste, die Kinder würden nicht wieder getrennt.«

»Bestimmt«, meint die junge Frau. »Wir hätten sie nie auseinanderreißen sollen.«

Er schaut noch immer auf den Fußboden. »Wir haben vieles gutzumachen.« Er räuspert sich. »Ich bin also damit einverstanden, daß du – daß du beide Kinder zu dir nach München nimmst.«

Sie greift sich ans Herz.

»Vielleicht«, fährt er fort, »erlaubst du, daß sie mich im Jahr vier Wochen besuchen?« Als sie nichts erwidert, meint er: »Oder drei Wochen? Oder vierzehn Tage wenigstens? Denn, obwohl du es am Ende nicht glauben wirst, ich hab die beiden sehr lieb.«

»Warum soll ich dir das denn nicht glauben?« hört er sie erwidern.

Er zuckt die Achseln. »Ich hab es zu wenig bewiesen!«

»Doch! An Lottchens Krankenbett!« sagt sie. »Und woher willst du wissen, daß die beiden so glücklich würden, wie wir's ihnen wünschen, wenn sie ohne Vater aufwachsen?«

»Ohne dich ginge es doch erst recht nicht!«

»Ach, Ludwig, hast du wirklich nicht gemerkt, wonach sich die Kinder sehnen, und was sie nur nicht auszusprechen gewagt haben?«

»Natürlich hab ich's gemerkt!« Er tritt ans Fenster. »Natürlich weiß ich, was sie wollen!« Ungeduldig zerrt er an dem Fensterwirbel. »Sie wollen, daß auch du und ich zusammenbleiben!«

»Vater *und* Mutter wollen sie haben, unsere Kinder! Ist das unbescheiden?« fragt die junge Frau forschend.

»Nein! Aber es gibt auch bescheidene Wünsche, die nicht erfüllbar sind!«

Er steht am Fenster wie ein Junge, der in die Ecke gestellt wurde und der aus Trotz nicht wieder hervorkommen will.

»Warum nicht erfüllbar?«

Überrascht wendet er sich um! »Das fragst du *mich?* Nach allem, was war?«

Sie schaut ihn ernst an und nickt, kaum merklich. Dann sagt sie: »Ja! Nach allem, was gewesen ist!«

Luise steht an der Tür und preßt ein Auge ans Schlüsselloch. Lotte steht daneben und hält beide kleinen Fäuste, die Daumen kneifend, weit von sich.

»Oh, oh, oh!« murmelt Luise. »Vati gibt Mutti einen Kuß!«

Lottchen schiebt, ganz gegen ihre Gewohnheit, die Schwester unsanft beiseite und starrt nun ihrerseits durchs Schlüsselloch.

»Nun?« fragt Luise. »Noch immer?«

»Nein«, flüstert Lottchen und richtet sich strahlend hoch. »Jetzt gibt Mutti Vati einen Kuß!«

Da fallen sich die Zwillinge jauchzend in die Arme!

ZWÖLFTES KAPITEL

Herr Grawunder wundert sich — Direktor Kilians ko-
mische Erzählung — Luises und Lottchens Heiratspläne
— Die Titelseite der »Münchner Illustrierten« — Ein
neues Schild an einer alten Tür — »Auf gute Nachbar-
schaft, Herr Kapellmeister!« — Man kann verlorenes
Glück nachholen — Kinderlachen und ein Kinderlied —
»Und lauter Zwillinge!«

Herr Benno Grawunder, ein alter erfahrener Beam-
ter im Standesamt des Ersten Wiener Bezirks, nimmt
eine Trauung vor, die ihn, bei aller Routine, ab und zu
ein bißchen aus der Fassung bringt. Die Braut ist die
geschiedene Frau des Bräutigams. Die beiden einander
entsetzlich ähnlichen zehnjährigen Mädchen sind die
Kinder des Brautpaars. Der eine Trauzeuge, ein Kunst-
maler namens Anton Gabele, hat keinen Schlips um.
Dafür hat der andere Zeuge, ein Hofrat Professor Doktor Strobl, einen Hund! Und der Hund hat im Vorzim-
mer, wo er eigentlich bleiben sollte, einen solchen Lärm
gemacht, daß man ihn hereinholen und an der standes-
amtlichen Trauung teilnehmen lassen mußte! Ein Hund
als Trauzeuge! Nein, so was!

162

Lottchen und Luise sitzen andächtig auf ihren Stühlen und sind glücklich wie die Schneekönige. Und sie sind nicht nur glücklich, sondern auch stolz, mächtig stolz! Denn sie selber sind ja an dem herrlichen, unfaßbaren Glück schuld! Was wäre denn aus den armen Eltern geworden, wenn die Kinder nicht gewesen wären, wie? Na also! Und leicht war's auch nicht gerade gewesen, in aller Heimlichkeit Schicksal zu spielen! Abenteuer, Tränen, Angst, Lügen, Verzweiflung, Krankheit, nichts war ihnen erspart geblieben, rein gar nichts!

Nach der Zeremonie flüstert Herr Gabele mit Herrn Palfy. Dabei zwinkern die beiden Künstlernaturen einander geheimnisvoll zu. Aber *warum* sie flüstern und zwinkern, weiß außer ihnen niemand.

Frau Körner, geschiedene Palfy, verehelichte Palfy, hat ihren alten und neuen Herrn und Gebieter nur murmeln hören: »Noch zu früh?« Dann fährt er, zu ihr gewandt, leichthin fort: »Ich hab eine gute Idee! Weißt du was? Wir fahren zunächst in die Schule und melden Lotte an!«

»Lotte? Aber Lotte war doch seit Wochen... Entschuldige, du hast natürlich recht!«

Der Herr Kapellmeister schaut die Frau Kapellmeister zärtlich an. »Das will ich meinen!«

Herr Kilian, der Direktor der Mädchenschule, ist ehrlich verblüfft, als Kapellmeister Palfy und Frau eine zweite Tochter anmelden, die der ersten aufs Haar gleicht. Aber er hat als alter Schulmann manches erlebt, was nicht weniger merkwürdig war, und so gewinnt er schließlich die Fassung wieder.

Nachdem die neue Schülerin ordnungsgemäß in ein großes Buch eingetragen worden ist, lehnt er sich gemütlich im Schreibtischsessel zurück und sagt: »Als jungem Hilfslehrer ist mir einmal etwas passiert, das muß ich Ihnen und den beiden Mäderln erzählen! Da kam zu Ostern ein neuer Bub in meine Klasse. Ein Bub aus ärmlichen Verhältnissen, aber blitzsauber und, wie ich bald merkte, sehr ums Lernen bemüht. Er kam gut voran. Im Rechnen war er sogar in kurzer Zeit der Beste von allen. Das heißt: nicht immer! Erst dachte ich bei mir: ›Wer weiß, woran's liegen mag!‹ Dann dachte ich: ›Das ist doch seltsam! Manchmal rechnet er wie am Schnürchen und macht keinen einzigen Fehler, andere Male geht es viel langsamer bei ihm, und Schnitzer macht er außerdem!‹«

Der Herr Schuldirektor macht eine Kunstpause und

zwinkert Luise und Lotte wohlwollend zu. »Endlich verfiel ich auf eine seltsame Methode. Ich merkte mir in einem Notizbücherl an, wann der Bub gut und wann er miserabel gerechnet hatte. Und da stellte sich ja nun etwas ganz Verrücktes heraus. Montags, mittwochs und freitags rechnete er gut — dienstags, donnerstags und samstags rechnete er schlecht.«

»Nein, so was!« sagt Herr Palfy. Und die zwei kleinen Mädchen rutschen neugierig auf den Stühlen.

»Sechs Wochen sah ich mir das an«, fährt der alte Herr fort. »Es änderte sich nie! Montags, mittwochs, freitags, — gut! Dienstags, donnerstags, samstags — schlecht! Eines schönen Abends begab ich mich in die Wohnung der Eltern und teilte ihnen meine rätselhafte Beobachtung mit. Sie schauten einander halb verlegen, halb belustigt an, und dann meinte der Mann: ›Mit dem, was der Herr Lehrer bemerkt hat, hat's schon seine Richtigkeit!‹ Dann pfiff er auf zwei Fingern. Und schon kamen aus dem Nebenzimmer zwei Jungen herübergesprungen. *Zwei*, gleich groß und auch sonst vollkommen ähnlich! ›Es sind Zwillinge‹, meinte die Frau. ›Der Sepp ist der gute Rechner, der Toni ist — der andere!‹ Nachdem ich mich einigermaßen erholt hatte, fragte ich: ›Ja, liebe Leute, warum schickt ihr denn nicht alle beide in die Schule?‹ Und der Vater gab mir

166

zur Antwort: ›Wir sind arm, Herr Lehrer. Die zwei Buben haben zusammen nur *einen* guten Anzug!‹«

Das Ehepaar Palfy lacht. Herr Kilian schmunzelt. Das Luiserl ruft:

»Das ist eine Idee! Das machen wir auch!«

Herr Kilian droht mit dem Finger. »Untersteht euch! Fräulein Gstettner und Fräulein Bruckbaur werden ohnedies Mühe genug haben, euch immer richtig auseinanderzuhalten!«

»Vor allem«, meint Luise begeistert, »wenn wir uns ganz gleich frisieren und die Sitzplätze tauschen!«

Der Herr Direktor schlägt die Hände überm Kopf zusammen und tut überhaupt, als sei er der Verzweiflung nahe. »Entsetzlich!« sagt er. »Und wie soll das erst einmal später werden, wenn ihr junge Damen seid und euch jemand heiraten will?«

»Weil wir gleich aussehen«, meint Lottchen nachdenklich, »gefallen wir sicher einem und demselben Mann!«

»Und uns gefällt bestimmt auch nur derselbe!« ruft Luise. »Dann heiraten wir ihn ganz einfach beide! Das ist das beste. Montags, mittwochs und freitags bin *ich* seine Frau! Und dienstags, donnerstags und samstags ist Lottchen an der Reihe!«

»Und wenn er euch nicht zufällig einmal rechnen

läßt, wird er überhaupt nicht merken, daß er zwei Frauen hat«, sagt der Herr Kapellmeister lachend.

Der Herr Direktor Kilian erhebt sich. »Der Ärmste!« meint er mitleidig.

Frau Palfy lächelt. »Ein Gutes hat die Einteilung aber doch! Sonntags hat er frei!«

Als das neugebackene, genauer, das wieder aufgebackene Ehepaar mit den Zwillingen über den Schulhof geht, ist gerade Frühstückspause. Hunderte kleiner Mädchen drängen sich und werden gedrängt. Luise und Lotte werden ungläubig bestaunt.

Endlich gelingt es Trude, sich bis zu den Zwillingen durchzuboxen. Schwer atmend blickt sie von einer zur anderen. »Nanu!« sagt sie erst einmal. Dann wendet sie sich gekränkt an Luise: »Erst verbietest du mir, hier in der Schule drüber zu reden, und nun kommt ihr so einfach daher?«

»*Ich* hab's dir verboten«, berichtigt Lotte.

»Jetzt kannst du's ruhig allen erzählen«, erklärt Luise huldvoll. »Von morgen an kommen wir nämlich beide!«

Dann schiebt sich Herr Palfy wie ein Eisbrecher durch die Menge und lotst seine Familie durchs Schultor. Trude wird inzwischen das Opfer der allgemeinen Neugierde. Man bugsiert sie auf den Ast einer Eberesche. Von hier oben aus teilt sie der lauschenden Mädchenmenge alles mit, was sie weiß.

Es läutet. Die Pause ist zu Ende. So sollte man wenigstens denken.

Die Lehrerinnen betreten die Klassenzimmer. Die Klassenzimmer sind leer. Die Lehrerinnen treten an die Fenster und starren empört auf den Schulhof hinunter. Der Schulhof ist überfüllt. Die Lehrerinnen dringen ins Zimmer des Direktors, um im Chor Beschwerde zu führen.

»Nehmen Sie Platz, meine Damen!« sagt er. »Der Schuldiener hat mir soeben die neue Nummer der Münchner Illustrierten gebracht. Die Titelseite ist für unsere Schule recht interessant. Darf ich bitten, Fräulein Bruckbaur?« Er reicht ihr die Zeitschrift.

Und nun vergessen auch die Lehrerinnen, genau wie im Schulhof die kleinen Mädchen, daß die Pause längst vorüber ist.

Fräulein Irene Gerlach steht, elegant wie immer, in der Nähe der Oper und starrt betroffen auf das Titelblatt der Münchner Illustrierten, wo zwei kleine bezopfte Mädchen abgebildet sind. Als sie hochblickt, starrt sie noch mehr. Denn an der Verkehrskreuzung hält ein Taxi, und in dem Taxi sitzen zwei kleine Mädchen mit einem Herrn, den sie gut gekannt hat, und einer Dame, die sie nie kennenlernen möchte!

Lotte zwickt die Schwester. »Du, dort drüben!«

»Aua! Was denn?«

Lotte flüstert, daß es kaum zu hören ist: »Fräulein Gerlach!«

»Wo?«

»Rechts! Die mit dem großen Hut! Und mit der Zeitung in der Hand!« Luise schielt zu der eleganten Dame hinüber. Am liebsten möchte sie ihr triumphierend die Zunge herausstrecken.

»Was habt ihr denn, ihr zwei?«

Verflixt, nun hat die Mutti wohl doch etwas gemerkt?

Da beugt sich, zum Glück, aus dem Auto, das neben dem Taxi wartet, eine vornehme alte Dame herüber. Sie hält der Mutti eine illustrierte Zeitung hin und sagt lächelnd: »Darf ich Ihnen ein passendes Präsent machen?«

Frau Palfy nimmt die Illustrierte, sieht das Titelbild, dankt lächelnd und gibt die Zeitung ihrem Mann.

Die Autos setzen sich in Bewegung. Die alte Dame nickt zum Abschied.

Die Kinder klettern neben Vati auf den Wagensitz und bestaunen das Titelbild.

»Dieser Herr Eipeldauer!« sagt Luise. »Uns so hineinzulegen!«

»Wir dachten doch, wir hätten *alle* Fotos zerrissen!« meint Lotte.

»Er hat ja die Platten!« erklärt die Mutti. »Da kann er noch Hunderte von Bildern abziehen!«

»Wie gut, daß er euch angeschmiert hat«, stellt der Vater fest. »Ohne ihn wäre Mutti nicht hinter euer Geheimnis gekommen. Und ohne ihn wäre heute keine Hochzeit gewesen.«

Luise dreht sich plötzlich um und schaut zur Oper zurück. Aber von Fräulein Gerlach ist weit und breit nichts mehr zu sehen.

Lotte sagt zur Mutti: »Wir werden dem Herrn Eipeldauer einen Brief schreiben und uns bei ihm bedanken!«

Das »aufgebackene« Ehepaar klettert in der Rotenturmstraße mit den Zwillingen die Stiegen hinauf. In der offenen Tür wartet schon die Resi in ihrem sonntäglichen Trachtenstaat, grinst über das ganze breite Bäuerinnengesicht und überreicht der jungen Frau einen großmächtigen Blumenstrauß.

»Ich dank Ihnen schön, Resi«, sagt die junge Frau. »Und ich freu mich, daß Sie bei uns bleiben wollen!«

Resi nickt wie eine Puppe aus dem Kasperltheater,

so energisch und so ruckartig. Dann stottert sie: »Ich hätte ja auf den Hof z'rucksollen. Zum Herrn Vater. Aber ich hab doch das Fräul'n Lottchen so arg gern!«

Der Herr Kapellmeister lacht: »Zu uns drei anderen sind S' nicht eben höflich, Resi!«

Resi zuckt ratlos mit den Schultern.

Frau Palfy greift rettend ein. »Wir können doch nicht ewig auf dem Treppenflur stehenbleiben!«

»Bitt' schön!« Resi reißt die Tür auf.

»Momenterl!« sagt der Herr Kapellmeister gemächlich. »Ich muß erst einmal in die andere Wohnung!«

Alle außer ihm erstarren. Schon am Hochzeitstag will er wieder ins Atelier am Ring? (Nein, die Resi erstarrt ganz und gar nicht! Sie lacht vielmehr lautlos in sich hinein!)

Herr Palfy geht zu Herrn Gabeles Wohnungstür, zückt einen Schlüssel und schließt in aller Seelenruhe auf!

Lottchen rennt zu ihm. An der Tür ist ein neues Schild angebracht, und auf dem neuen Schild steht deutlich zu lesen: »Palfy«!

»O Vati!« ruft sie überglücklich.

Da steht auch schon Luise neben ihr, liest das Schild, kriegt die Schwester am Kragen und beginnt, mit ihr eine Art Veitstanz aufzuführen. Das alte Stiegenhaus wackelt in allen Fugen.

»Nun ist's genug!« ruft schließlich der Herr Kapell-
meister. »Ihr schert euch jetzt mit der Resi in die Küche
und helft ihr!« Er schaut auf die Uhr. »Ich zeig der
Mutti inzwischen meine Wohnung. Und in einer halben
Stunde wird gegessen. Wenn's soweit ist, klingelt ihr!«
Er nimmt die junge Frau an der Hand.

An der gegenüberliegenden Tür macht Luise einen
Knicks und sagt: »Auf gute Nachbarschaft, Herr Kapellmeister!«

Die junge Frau legt Hut und Mantel ab. »Was für eine
Überraschung!« meint sie leise.

»Eine angenehme Überraschung?« fragt er.

Sie nickt.

»Es war schon lange Lottchens Wunsch, bevor's auch
der meinige wurde«, erzählt er zögernd. »Gabele hat
den Feldzugsplan bis ins kleinste ausgearbeitet und die
Schlacht der Möbelwagen eingeleitet.«

»Deswegen also mußten wir erst noch in die Schule?«

»Ja. Der Transport des Flügels hielt den Kampf der
Möbeltitanen etwas auf.«

Sie treten ins Arbeitszimmer. Auf dem Flügel steht
die aus dem Schreibtischschubfach auferstandene Fotografie einer jungen Frau aus einer vergangenen, un-

vergessenen Zeit. Er legt den Arm um sie. »Im dritten Stock links werden wir zu viert glücklich sein, und im dritten Stockwerk rechts ich allein, aber mit euch Wand an Wand.«

»Soviel Glück!« Sie schmiegt sich an ihn.

»Jedenfalls mehr, als wir verdienen«, sagt er ernst.

»Aber nicht mehr, als wir ertragen können.«

»Ich hätte nie geglaubt, daß es das gibt!«

»Was?«

»Daß man verlorenes Glück nachholen kann wie eine versäumte Schulstunde.«

Er deutet auf ein Bild an der Wand. Aus dem Rahmen schaut, von Gabele gezeichnet, ein kleines, ernstes Kindergesicht auf die Eltern herab. »Jede Sekunde unseres neuen Glücks«, sagt er, »verdanken wir unseren Kindern.«

Luise steht, mit einer Küchenschürze geschmückt, auf einem Stuhl und heftet mit Reißzwecken die Titelseite der Münchner Illustrierten an die Wand.

»Schön«, sagt Resi andächtig.

Lottchen, gleichfalls in einer Küchenschürze, werkelt eifrig am Herd.

Resi tupft sich eine Träne aus dem Augenwinkel, schnüffelt leise und fragt dann, noch immer vor der Fotografie stehend: »Welche von euch beiden ist denn nun eigentlich welche?«

Die kleinen Mädchen schauen einander betroffen an. Dann starren sie auf die angezweckte Fotografie. Dann blicken sie erneut einander an.

»Also...« sagt Lottchen unschlüssig.

»Ich saß, als uns der Herr Eipeldauer knipste, glaub ich, links«, meint Luise nachdenklich.

Lotte schüttelt zaudernd den Kopf. »Nein, ich saß links. Oder?«

Die zwei recken die Hälse zu ihrem Konterfei empor.

»Ja, wenn ihr's selber nicht wißt, welche welche ist!« schreit die Resi außer sich und beginnt zu lachen.

»Nein, wir wissen's wirklich selber nicht!« ruft Luise begeistert. Und nun lachen alle drei, daß ihr Gelächter bis in die Nebenwohnung hinüberdringt.

Dort drüben fragt die Frau, fast erschrocken: »Wirst du denn bei solchem Lärm arbeiten können?«

Er geht an den Flügel und sagt, während er den Deckel öffnet: »Nur bei solchem Lärm!« Und indes nebenan das Gelächter einschläft, spielt er seiner Frau aus der Kinderoper das Duett in Es-Dur vor, das bis in die Küche der Nachbarwohnung dringt. Die drei hantieren so leise wie möglich, um sich auch ja keinen Ton entgehen zu lassen.

Als das Lied verklungen ist, fragt Lottchen verlegen: »Wie ist das eigentlich, Resi? Wo nun Vati und Mutti wieder mit uns zusammen sind, können Luise und ich doch noch Geschwister bekommen?«

»Ja, freilich!« erklärt Resi zuversichtlich. »Wollt ihr denn welche haben?«

»Natürlich«, meint Luise energisch.

»Buben oder Mädels?« erkundigt sich Resi angelegentlich.

»Buben *und* Mädels!« sagt Lotte.

Luise aber ruft aus Herzensgrund: »Und lauter Zwillinge!«

Ende